C000046172

Con il contributo del

Isole Abbandonate della Laguna

com'erano e come sono

The Abandoned Islands of the Lagoon

how they were and how they are now

Giorgio e Maurizio Crovato

San Marco Press 2008

Alla memoria dei nostri genitori

In memory of our parents

Published by San Marco Press Ltd
10 Lindum Road, Teddington, Middx TW11 9DR, UK
E-mail: sanmarcopress@gmail.com

www.sanmarcopress.com

ISBN 978-0-9558138-6-3

Printed by Grafiche Nardin
Cavallino Treporti
Venice
www.grafichenardin.it

VENETORUM URBS
DIVINA DISPONENTE PROVIDENTIA
AQUIS FUNDATA
AQUARUM AMBITU CIRCUMSEPTA
AQUIS PRO MURO MUNITUR
QUISQUIS IGITUR
QUOQUO MODO DETRIMENTUM PUBLICIS AQUIS
INFERRE AUSUS FUERIT
HOSTIS PATRIAE JUDICETUR
NEC MINORI PLECTATUR POENA
QUAM QUI SACROS MUROS PATRIAE
VIOLASSET
HUJUS EDICTI JUS RATUM PERPETUVMQUE
ESTO

Epigrafe composta nel 1553 per il Magistrato alle Acque dal latinista G.B. Ignazio, conservata al Museo Correr.

La città dei veneti - coll'aiuto della Divina Provvidenza - è stata fondata sull'acqua - è racchiusa dall'acqua - è difesa dall'acqua in luogo delle mura - chiunque oserà portare danno in qualsiasi maniera alle pubbliche acque - sia dichiarato nemico della patria - e non si meriti minor pena di colui il quale violasse le sante mura della patria - la validità di questo editto è perpetua.

The city of the Venetians - with the aid of divine providence - founded on water - surrounded by water - defended by water in place of walls - should anyone therefore - to the detriment of the public waters in any way - dare to act he will be - declared an enemy of the republic - nor be punished with a lesser penalty - than he who the sacred walls of his country - would violate - the authority of this edict unalterable and perpetual - is here declared.

Epigraph composed by the latinist G.B.Ignazio in 1553 for the Magistrato alle Acque, preserved in the Correr Museum.

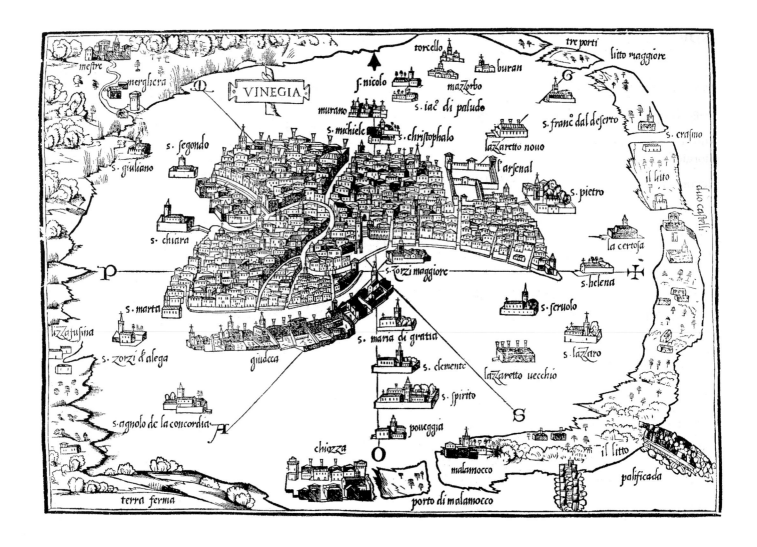

La pianta di Benedetto Bordone, compilata nei primi anni del secondo decennio del Cinquecento e pubblicata per la prima volta nel 1528, è la più antica mappa che rappresenti tutta la laguna e su di essa si basarono tutte le successive, per quasi due secoli.

Benedetto Bordone's map, drafted in the second decade of the sixteenth century and published in 1528, is the oldest we have illustrating the whole lagoon. All subsequent maps for nearly two centuries were derived from it.

INDICE | CONTENTS

Realizzazione a cura di John Francis Phillimore e Chris Wayman

I brani qui riportati sono tratti dalle seguenti opere:
the texts quoted are from the following works:

E. Paoletti - Il fiore di Venezia, Venezia 1837.
AA.VV - Venezia e le sue lagune, Venezia 1847.
P. Molmenti, D. Mantovani - Le isole della laguna veneta, Venezia 1895.
R. Bratti - Vecchie isole veneziane, Venezia 1913.
F. Bianchi - Le isole di Venezia, Venezia 1938.
E. Miozzi - Venezia nei secoli, vol. 3, Venezia 1958.
A. Zorzi - Venezia scomparsa, vol. 2, Milano 1971.
G. Perocco, A. Salvatori - Civiltà di Venezia, vol. 3, Venezia 1976.

Per questa edizione ringraziamo tutti gli amici che hanno collaborato,
in particolare:

Anna Bellani
Jenny Condie

Per le fotografie:

Il consorzio Venezia Nuova
Il Circolo Dipendenti CARIVE
Filippo Frank
Tito Mion
Stefano Pandiani
Claudio Franceschini
Martino Rizzi
Laura Fazzini

FOREWORD

The re-publication of the book which accompanied the historically important exhibition "Le Isole Abbandonate della Laguna" is a vindication of the vision which Maurizio and Giorgio Crovato realised in 1978 in drawing the attention of the world to the significance of each of the islands of the lagoon in the history of the Serenissima. The exhibition's inauguration coincided with the annual general meeting of the Comitati Internazionali Privati per la Salvaguardia di Venezia in 1978, thus stimulating international concern for the islands beyond those still inhabited such as Murano, Burano, S.Servolo and Torcello.
Many of the islands had established religious communities, monasteries subsequently dissolved by Napoleonic decree, when their fate was to be abandoned, some serving as ammunition warehouses or forts under the Austrian occupation. The two Quarantine islands – Lazzaretto Vecchio and Lazzaretto Nuovo - which served such transitory purposes are being preserved, the Lazzaretto Vecchio thanks to the intervention of the Magistrato alle Acque (Ministry of Public Works) has had its perimeter walls and warehouses consolidated with the idea of establishing a Museum of the Lagoon to house the innumerable archaeological artefacts which came to light during excavations, as an ever-growing collection currently deposited on the Lazzaretto Nuovo. There, thanks to the indefatigable work of Dott. Fazzini and the Archeo Club, the history of the maritime trading fleets, their crews and cargoes observing statutory regulations, is recorded and a valuable educational summer programme continues.
Before every vestige of the past history of the islands scattered across the Lagoon disappears the re-publication of the book is a timely reminder that they were the refuge of the first Venetians escaping from their mainland aggressors.

Lady Clarke
President of Venice in Peril

September 2008

PRESENTAZIONE

La ristampa del libro che accompagnò l'importante mostra storica "Le isole Abbandonate della Laguna" è una prova tangibile della visione che Maurizio e Giorgio Crovato realizzarono nel 1978 quando portarono all'attenzione del mondo il significato che ciascuna isola della laguna ebbe nella storia della Serenissima.
L'inaugurazione della mostra coincise allora con l'annuale assemblea generale dei Comitati Internazionali Privati per la Salvaguardia di Venezia nel 1978 stimolando così un interesse internazionale per le isole che andava oltre quelle abitate quali Murano, Burano, S.Servolo e Torcello.
Molte isole erano sedi di comunità religiose e monasteri successivamente dissolti per decreto Napoleonico e poi destinate all'abbandono, alcune furono utilizzate come depositi di munizioni o forti sotto l'occupazione austriaca.
Le due isole adibite a quarantena, il Lazzaretto Vecchio e quello Nuovo, che servirono per un periodo a tal scopo, sono tuttora ben conservate; il Lazzaretto Vecchio, grazie all'intervento del Magistrato alle Acque, ha subito un intervento di consolidamento dei muri perimetrali e dei magazzini con l'intenzione di creare un museo della laguna che dia spazio agli innumerevoli reperti archeologici venuti alla luce durante gli scavi, una raccolta che si sta arricchendo sempre più di esemplari ora esposti al Lazzaretto Nuovo. Qui grazie all'infaticabile lavoro del Dottor Fazzini e dell'Archeoclub, è documentata la storia delle flotte commerciali marittime con i loro equipaggi e merci soggetti alle normative di quarantena. A Lazzaretto Nuovo d'estate viene regolarmente svolto un valido programma educativo.
Prima che ogni vestigia dell'illustre passato delle isole sparse nella laguna scompaia per sempre la ristampa di questo libro è un monito continuo di ciò che esse furono: il rifugio dei primi veneziani in fuga dagli aggressori della terraferma.

Lady Clarke
President of Venice in Peril

Settembre 2008

PREFAZIONE della prima edizione (1978)

Giorgio e Maurio Crovato, maturarono l'idea di una mostra sullo stato di abbandono delle isole dell'estuario Veneziano già nell'agosto dello scorso anno quando vissero per una intera settimana a bordo del loro pupparino, percorrendo l'intero periplo lagunare fra barene remote e canali dimenticati, nei silenzi e nelle suggestive solitudini di un paesaggio che se pure ancora incomparabile per rarità e bellezza, non può non tradire all'occhio esperto e appassionato del nativo la sua continua e progressiva degenerazione.

Qualche tempo dopo, quando all'interno del nostro Sodalizio i "gemelli" manifestarono il proposito di approfondire la ricerca per aggiungere altre documentazioni e conoscenze a quelle già acquisite durante "la settimana in laguna" nell'intento di ricavarne un fascicolo, fummo ben lieti di dare il patrocinio della nostra associazione.

Lungi dall'idea di allestire libri bianchi o mostre-denuncia ed altrettanto distanti da ogni interpretazione strumentale ci corre l'obbligo di dire che la mostra " Le isole abbandonate", va intesa, almeno da parte nostra, come una semplice ed amara verifica.

Riteniamo quindi, dopo avere constatato e fatto constatare di aver esaurito il compito e di metterci...alla finestra, in attesa che qualcuno con leve ben più potenti delle nostre, voglia sinceramente prendere a cuore il problema del ripristino della vita nelle isole abbandonate, la cui destinazione valida e possibile oggi come oggi, sembra essere quella culturale, sportiva o comunque sociale.

Noi frattanto, silenziosamente come nostro costume, con Giorgio, Maurizio e quanti altri vorranno mettersi sulla nostra scia continueremo a tuffare i remi delle nostre barche in queste acque sacrificate alla civiltà della plastica e del detersivo, prigioniero del sogno di poter ritrovare un piccolo paradiso perduto: l'arcipelago chiamato Venezia.

Alfredo Borsato
Presidente Associazione Settemari,

Venezia, aprile 1978

PREFACE to the first edition (1978)

Giorgio and Maurizio Crovato were already contemplating the idea of an exhibition focusing on the state of neglect of the islands of the Venetian estuary in August of last year when they lived for a whole week on board their pupparino, circumnavigating the entire lagoon, through remote mudflats and forgotten canals, amid the silences and atmospheric solitude of a landscape that for all its still incomparable beauty cannot conceal from expert and affectionate eye of the native a continuing progressive decay.

When, sometime later, at a get-together of our Club, 'the twins' revealed their intention of widening their scope to add further research and documentation to that already accumulated during their 'week on the lagoon' with a view to preparing a publication, we were more than happy to offer the sponsorship of our association.

It was no part of our intention to produce a manifesto, or to set up an accusatory exhibition, or to exploit the occasion tendentiously in any way: this exhibition on the 'abandoned islands' should be read, as far as we are concerned, simply as a dispassionate, albeit painful, census.

It is our view that having made, and here shared, these observations, we have accomplished our task, and can now take a watching brief, in the hope that someone with greater forces at their disposal than ourselves will genuinely take to heart the problem of bringing life back to these abandoned islands, whose most plausible destiny today would seem to be to become homes for cultural or sporting, in short, social activities.

In the meantime, quietly as our custom is, together with Giorgio, Maurizio, and as many others as wish to row in our wake, we will continue to dip our oars into these abused waters, sacrificed to a culture of plastic and pollutants, still willing prisoners of a dream: the dream of finding again a small paradise lost, that archipelago known as Venice.

Alfredo Borsato
Presidente Associazione Settemari,

Venice, April 1978

LE ISOLE della LAGUNA di Venezia, storia, genesi e trasformazioni
di Giorgio e Maurizio Crovato
THE ISLANDS of the Venetian LAGOON, history, development, mutations
by Giorgio & Maurizio Crovato

Quando gli amici Chris Wayman e John Phillimore ci hanno proposto di ripubblicare la nostra ricerca di oltre trent'anni fa abbiamo accettato con entusiasmo per almeno due motivi: sondare i cambiamenti avvenuti e riflettere ancora sulle isole e sul loro ruolo nel contesto della laguna di Venezia.

Nel 1977, poco più che ventenni, ci siamo forse trovati avvantaggiati rispetto ai nostri coetanei. Percorrendo spesso la laguna con la nostra piccola barca a remi siamo stati testimoni di un cambiamento: antichi mestieri stavano scomparendo, vele e remi erano progressivamente sostituiti dai motori e anche l'ambiente circostante, a iniziare dall'acqua, non era più incontaminato come qualche anno prima. Sulle ali dell'entusiasmo provocato dalla prima Vogalonga nel 1975, che aveva lo scopo principale di denunciare lo stato di degrado della laguna e la valorizzazione della cultura anfibia, ci siamo impegnati ad approfondire alcuni argomenti e in particolare lo stato di alcune piccole isole, abitate per secoli e poi abbandonate al loro destino. Ci stimolava soprattutto comprendere il perché isole con un passato storicamente importante e con edifici realizzati dai più importanti architetti del Rinascimento fossero ridotte in questo stato di abbandono. Coinvolgere nella nostra sfida-denuncia un gruppo di amici con i quali poi si sarebbe fondata l'Associazione Settemari è stato semplice e il nostro entusiasmo ha contagiato un po' tutti a cominciare da Franco Bortoluzzi, Alfredo Borsato, Ucio Todeschini, dal compianto Mimmo Greco e da uno studioso, ancora più giovane di noi, Giovanni Caniato. Tutti gli amici della Settemari sono stati coinvolti nell'iniziativa. Con grande senso di solidarietà e partecipazione hanno condiviso il nostro progetto, collaborando ognuno con i propri mezzi e con la propria competenza, all'allestimento della mostra all'ex Scuola Granda di S. Teodoro a Venezia e alla stampa del libro.

Nel 2005 il Comune di Venezia ha riproposto il tema del recupero delle isole lagunari con una mostra didattica "L'arcipelago dimenticato" coinvolgendo attivamente insegnanti e studenti delle scuole veneziane. L'esauriente libro pubblicato per l'occasione fu realizzato da Giovanni Caniato e Michele Zanetti. E a trent'anni di distanza dalla prima mostra qualche passo è stato compiuto. Alcune isole non sono più abbandonate e hanno trovato una proficua destinazione d'uso (pubblica o privata). Altre, che all'epoca stavano per essere abbandonate, hanno trovato una rapida riconversione (ad esempio San Servolo). Se è vero che la vita veneziana è cambiata notevolmente, è anche vero che alcune isole della laguna hanno trovato un loro ruolo attivo nello spazio lagunare, sia in ambito cul-

When our friends Chris Wayman and John Phillimore suggested republishing our enquiry of some thirty years back, we accepted with enthusiasm for at least two reasons; to record the changes that have taken place in the interim, and to reflect again on the islands and their role in the context of the Venetian lagoon.

In 1977, then in our twenties, we had perhaps this advantage over our contemporaries: used as we were to frequently rowing all over the lagoon in our small boat, we were well placed to register change. Old skills were disappearing, sail and oar were being progressively replaced by the outboard-motor, and the environment itself, notably the water, was no longer uncontaminated as only a few years previously. Caught up in the enthusiasm engendered by the first Vogalonga *in 1975, which had the dual aim of drawing attention to the degeneration of the lagoon and promoting an amphibious culture, we set ourselves the task of pursuing certain themes of research, in particular the current state of some of the smaller islands, inhabited for centuries before being abandoned to their fate. We were keen above all to find out why certain islands with a past of notable historical importance and buildings designed by the leading architects of the Renaissance had managed to fall into such a state of abandon. It proved easy enough to involve in our campaign the group of friends who would form the nucleus of the* Settemari *Association, and our enthusiasm soon infected many others, starting with Franco Bortoluzzi, Alfredo Borsato, Ucio Todeschini, the much-missed Mimmo Greco, and a historian even younger than ourselves, Giovanni Caniato. All our friends in the* Settemari *took part in the project. With a great spirit of common enterprise they all put their shoulders to our wheel, each bring his own means and expertise both to the setting up of the exhibition and the publication of the first edition of this book.*

In 2005 the Comune of Venice revived the theme of island renewal with an educational exhibition "L'arcipelago dimenticato" (The forgotten archipelago) involving teachers and students of the Venetian schools. The exemplary accompanying publication was prepared by Giovanni Caniato and Michele Zanetti. And thirty years on from the first exhibition some progress has been made. There are islands that are no longer 'abandoned' and that have found a viable role (public or private); others that were on the verge of being abandoned which have enjoyed a decisive change of direction (San Servolo most obviously). If it is true that Venetian life in general has changed markedly, it is no less the case that a number of the islands have now rediscovered a positive part to play, cultural or touristic, within the lagoon context.

turale sia in quello turistico.

La continua trasformazione di terra e acqua ha da sempre contraddistinto il territorio. La laguna è geologicamente una neonata. Ha appena sei mila anni. Le Dolomiti, per fare un riferimento geologico, di anni ne contano qualche milione. Eppure la laguna è cambiata molto di più di una montagna. E' provato (W.Dorigo, E. Canal) che gli insediamenti paleoveneti-euganei e romani operavano in condizioni terrafermiere tra la via Annia e la via Fausta. I riferimenti fissi per la storia antica, come pietre miliari delle lagune, sono Aquileia, Concordia, Equilio, Altino, Eraclia, Adria, Spina. Tutte realtà morfologicamente snaturate, praticamente scomparse. Non sono più porti, non sono nemmeno più città, solo qualche mattone o un ammasso di pietre o mura. Parlare di isole della laguna, lo mettiamo subito in chiaro, è molto relativo. Malamocco, l'antica Metamauco, resta quasi una leggenda. Degli ottomila abitanti dell'Emporion Mega Torthelon (Torcello) ne rimangono 25 residenti (censimento 2001). Di isole abitate e famose come Costanziaco, Ammiana, Ammianella, Centranica, non resta che qualche vago toponimo e molti misteri. Del mitico Monte dell'Oro, non rimane nella laguna nord che il poco romantico nome di Motta dei Cunicci (conigli). Di San Marco di Bocca Lama e San Leonardo di Fossa Mala, solo un grumo di barena e di fango, anche se ben documentate come le opere e le bonifiche dei monaci benedettini di Sant'Ilario in laguna sud.

Dal punto di vista morfologico le isole lagunari possono essere classificate in diverse categorie: quelle formate dall'azione dunosa della sabbia marina come i litorali (Lido, Pellestrina, Sant'Erasmo); quelle formate dall'azione dei fiumi (Torcello, Burano, Giudecca, San Giorgio Maggiore); quelle create artificialmente dall'uomo, bonificate con fanghi e materiali di risulta (Sacca Sessola, Sacca Fisola, "sacca" in dialetto veneziano significa isola artificiale). Quelle di formazione mista come le "insule" che danno la forma urbis di Venezia o Murano. Insomma molte isole sono sorte con il lavoro di badili e di mani pronte a sottrarre terra alla laguna. Dalle barene asciutte o dossi di Rivus Altus (Rialto) e di Olivolo è nato tutto quel clamore urbano che chiamiamo Venezia. Un mosaico di centinaia di appezzamenti anfibi collegati da trecento ponti e cementati da poco meno di un millennio e mezzo di storia. Il tutto tenuto in piedi da migliaia di tonnellate di pietra d'Istria e di trachite euganea di Monselice.

Si deve molto anche alle alluvioni, come quella descritta da Paolo Diacono nel 589 d.c. che coincide con l'arrivo dei "barbari" e alle esondazioni dei fiumi che provvedono a sparigliare quelle anonime isole che si chiamano ancora latinamente "vicii". Chiarissimo il Pactum Lotharii. Con meticolosità longobarda nel 840 descrive una ventina di località del Ducato veneziano: sono "habitantes his locis", cioè abitatori di "luoghi" e non di isole, appunto. Più evoluto, o forse più bizantino, Costantino Porfirogenito. Elenca nella laguna 28 centri abitati, dividendoli in due sottogruppi, uno di "insule", l'altro di "castra", ovvero terraferma. Murano e Torcello sono di

Continual mutations of land and water have always been the peculiarity of our territory. Geologically the lagoon is a babe-in-arms: it is barely six thousand years old. The Dolomites, to offer a geological comparison, are several million years senior. For all that, the lagoon has changed a good deal more than the mountains. It has been shown (by W.Dorigo, E.Canal) that early paleoveneto-euganean and Roman settlement was concentrated in the mainland area between the Via Annia and the Via Fausta. The fixed points of our ancient history, like a series of milestones round the lagoon, are Aquileia, Concordia, Equilio, Altino, Eraclia, Adria, Spina, in every case now deprived of their raison-d'être, and all but disappeared. They are no longer even towns for the most part, still less ports, reduced to a few bricks or a jumble of stones and wall-fragments. 'Islands of the lagoon', we should be clear at the outset, is a phrase of shifting meanings. Malamocco, for instance, in the sense of the ancient Metamauco, is hardly more than a legend. The eight thousand inhabitants of Emporion Mega Torthelon (Torcello) are now reduced to twenty-five (2001 census). Of the once famous and thriving islands of Costanziaco, Ammiana, Ammianella, Centranica, there survive only the names, and much mystery. Of the mythical Monte d'Oro the only trace remaining in the northern lagoon is the less-than-romantically named 'Motta dei Cunicci' (Rabbit Bank!); of San Marco di Bocca Lama and San Leonardo di Fossa Mala, only strips of mudflat, even though the land-reclamation and rebuilding works carried out by the Benedictine monks of Sant'Ilario in the southern lagoon are well-documented.

Structurally, the lagoon islands can be classified in various categories: those formed by the dune-forming action of marine sand, that is, the littorals – Lido, Pellestrina, Sant'Erasmo; those created from deposits of river-silt – Torcello, Burano, Giudecca, San Giorgio Maggiore; those created artificially by man from mud deposits and building-waste – Sacca Sessola, Sacca Fisola ('sacca' in venetian dialect meaning in fact 'artificial island'); those of mixed origin, such as the 'insule' that go to make up the forma urbis of Venice itself, or Murano. We see therefore that many islands have been reclaimed with hand and shovel from the waters of the lagoon, and from the dried mudbanks of Rivus Altus (Rialto) and Olivolo arose all the clamour of the city we now call Venice, a mosaic of semi-amphibious land-fragments knitted by three hundred bridges and buttressed by a millennium and a half of history, its magnificent buildings sustained by thousands of tons of non-porous pietra d'Istria and Euganean trachyte from the quarries of Monselice.

The floodwaters too played their part, like that described by the deacon Paul in 589 AD which coincided with the coming of 'the barbarians', and the river-borne flooding that made to break up the anonymous islands still known by the Latin term 'vicii'.

The Pactum Lotharii of 840 AD seems clear enough: with Longobard thoroughness it describes some twenty settlements in the

questa categoria. Era il 950. Con Giovanni Diacono (1008) si parla finalmente solo di isole. Ne elenca dodici, tra cui Popilia (Poveglia). Le abitazioni povegliesi sono circa ottocento. L'isola è isola munita di "castello", ha vigne e saline. Poveglia mille anni dopo, disabitata, misura appena sette ettari. Interessante la richiesta che i benedettini fanno al doge Agnello Partecipazio. Vogliono spostarsi più a nord, perchè San Servilio (attuale San Servolo) è circondata da troppe paludi. La mobilità nelle isole regna sovrana. Con la laguna il rapporto è sempre mutevole. Le isole oggi scomparse di epoca tardo romana avevano, e non è una pura casualità, gli stessi nomi delle porte d'ingresso della città di Altino e furono abitate con ogni probabilità dai fuggiaschi altinati. Analogamente anche le tracce ormai remote in laguna nord dei primi insediamenti monastici e delle chiese del basso medioevo avevano le stesse caratteristiche di mobilità, come ha scoperto una èquipe archeologica polacca tra il 1961 e il 1962. Da un elenco ufficiale redatto a cura del Catasto Lombardo-Veneto del 1844, risultava che le isole di Venezia erano in numero di 62. Oggi la quantità è più o meno la stessa anche se è difficile per talune mantenere la classificazione di isola. Una trentina di queste riveste particolare importanza storica. Il cartografo Benedetto Bordone nell'Isolario del 1528 ne pubblica 28. Dunque in laguna, da sempre isolotti e "motte da cason" affiorano e scompaiono in continuazione.

A partire dal XVI° secolo e con il contributo teorico e scientifico di autorevoli ingegneri idraulici (Cristoforo Sabbadino, Alvise Cornaro anche se con tesi diametralmente opposte) vengono avviati dei faraonici progetti a difesa della laguna. Sono finalizzati al buon funzionamento del porto di Venezia. I fiumi Brenta, Bacchiglione, Piave, Sile vengono estromessi dalla laguna per evitare che l'azione di apporto di sedimenti comprometta gli ambiti lagunari.

Dalla fine della Repubblica Serenissima, però alcuni interventi hanno modificato enormemente il destino delle piccole isole. Eventi di carattere idraulico ed urbanistico. Il primo è il progetto delle dighe foranee. Concepito dalla amministrazione austriaca nel 1838 per poter allungare la vita all'asfittico porto di Venezia. I fondali bassi della bocca di Lido all'epoca procuravavo difficoltà in entrata e in uscita ai vascelli di appena mille tonnellate. A volte non superavano i due metri di profondità. Pietro Paleocapa, scienziato idraulico, dimostra l'opportunità di tali creazioni. Le dighe foranee della bocca di Lido, cominciate nel 1882, verranno ultimate nel 1910. Le bocche di Chioggia e di Malamocco, con sezione inferiore, erano state ultimate anni prima. Il secondo evento, urbanistico, è la "Sovrana risoluzione" di congiungere Venezia con la terraferma attraverso un ponte ferroviario. L'idea austriaca illustrata nel 1821, verrà realizzata dall'architetto Tommaso Meduna nel 1847. All'epoca era il ponte più lungo del mondo. A dirla con le parole critiche del senatore del regno Pompeo Molmenti, questa "barbarie" avrà effetti sconvolgenti. San Marco e il suo bacino perderanno il loro ruolo secolare di centro economico e commerciale, per avviare quello più dimesso

Venetian Ducato. Their residents are "habitantes his locis", which is to say inhabitants of 'places', and not islands. More sophisticated, or at least, more Byzantine, is Constantine Porphyrogenitus, who lists in the lagoon twenty-eight towns or villages, dividing them into two sub-groups. "insule" and "castra", mainland centres the latter. This was in 950. With John the Deacon (1008) finally we are talking specifically of islands. He lists twelve, including Popilia (Poveglia) with some eight-hundred households, a fort, vineyards and salt-works. A thousand years on, Poveglia, now uninhabited, extends over not much more than seventeen acres. An interesting document survives in which the Benedictines petition the Doge Agnello Partecipazio that they be allowed to move further north as San Servilio (now San Servolo) is hemmed in by marsh. Mobility in the islands was always the rule, relations with the lagoon always subject to change. Those islands now disappeared which date back to Roman times bore the names of the entrance gates of Altino and not by chance: they were probably settled by fugitives from that city. Mobility was probably also the watchword of the first monastic foundations and churches of the earliest Middle Ages, as identified from the scattered traces remaining by a team of Polish archaeologists in 1961/2. From an official list drawn up by the Lombardy-Veneto land-register in 1844, it appears that the Venetian islands then numbered sixty-two. Today there are a similar number surviving, even if it is stretching the term to call some of them 'islands', and of these perhaps thirty are of historical interest. Again, the cartographer Benedetto Bordone in his Isolario of 1528 found twenty-eight worth recording. Of course, it was always the case that mini-islands and the so called 'motte da cason' (mudflats with shacks) came and went.

From the sixteenth century onwards, justified by theoretical and scientific studies from such authoritative hydraulic engineers as Cristoforo Sabbadino and Alvise Cornaro (albeit with diametrically opposed theses) projects of Pharaonic scope were undertaken for the defence of the lagoon. Their ultimate aim was always the safeguarding of Venice as a port. The Brenta, Bacchiglione, Piave and Sile rivers were all diverted elsewhere to forestall the continued silting-up of the lagoon environment.

Since the fall of the Republic a number of hydraulic and urbanistic projects have again drastically modified the destiny of the smaller islands. First among these was the Outer Breakwater scheme, originally planned by the Austrian administration in 1838 to prolong the life of the silt-choked port of Venice. At that time the maximum depth soundings at the Lido straits were such as to compromise the passage of even thousand-ton vessels, at low tide reaching as little as two metres. Pietro Paleocarpo, a hydraulic physicist, had demonstrated the effectiveness of such constructions. The Lido jetties, finally begun in 1882, were completed in 1910. The shorter jetties at the straits of Chioggia and Malamocco were completed many years earlier. The second major event, of urbanistic inspiration in this case, was the 'Sove-

(per l'epoca) di centro turistico e di attrazione. Venezia diventa lentamente "appendice" della terraferma. Le isole della laguna stravolte nella loro funzione di servizi e poli produttivi del sistema concentrico lagunare, inesorabilmente declineranno e perderanno di importanza. Un terzo fattore è il millenario fenomeno di subsidenza e di eustatismo proprio dei terreni alluvionali.

Analizzando le modifiche otto-novecentesche vi saranno **Isole conglobate nella città e nella terraferma** come, Santa Marta e Santa Chiara. Riformate ai fini urbanistici della stazione ferroviaria e del nuovo porto commerciale. Sant'Elena diventerà nuovo quartiere cittadino. Treporti, Lio Piccolo e Lio Grando diventeranno terraferma e congiunte alla penisola del Cavallino. Sant'Erasmo per l'avanzare di quest'ultimo cordone sabbioso, da lido (Litto bianco) fronte mare si trasformerà in isola interna lagunare. Così anche i "Do Casteli" dell'isola di Sant'Andrea, della Certosa e di San Nicolò, arretreranno in un posizion più interna non più a diretto contatto con l'Adriatico. Vi saranno inoltre **Isole unificate** come S.Cristoforo e S. Michele per creare il nuovo cimitero dopo il rifiuto dell'Amministrazione Austriaca di trasformare a tale scopo il convento della Certosa. L'elenco delle **Isole scomparse** è già stato in parte citato. S.Leonardo di Fossa Mala, S.Marco di Bocca Lama sono ricordate in occasione della peste del 1348 ma oggi di esse restano poche tracce. Ammiana, Ammianella, Costanziaco. Centranica, sono nomi favolosi eppure lo storico Vittorio Piva nel 1938 elenca e disegna ben otto chiese appartenenti a queste isole. Sono le chiese di S.Felice e Fortunato, S.Zuane, S.Anzolo, S.S. Apostoli, S.Lorenzo, S.Andrà, S.Cristina, S.Pietro di Casacalba. Oggi nelle barene della laguna nord persistono i toponimi usati dai pescatori di Burano. Motta di San Lorenzo, Paluo della Centrega, valle di Ca'Zane e l'isola privata di Santa Cristina. E' interessante notare la trasformazione semantica di paluo cioè palude, ovvero barena. Esistono poi **Isole ridotte radicalmente**, come Torcello. Secondo Marziale che ne descrive le belle ville romane contava 30 mila anime, oppure Poveglia. Gli abitanti fino alla fine della Repubblica godono dell'antico privilegio di accompagnare a remi il doge con il Bucintoro. Inoltre vi sono **Isole che hanno perso la loro antica funzione**, ma per acquisirne altre. Da insediamenti religiosi all'epoca della Serenissima a forti militari durante le amministrazioni austriaca e francese. Alla fine degli anni Settanta molte isole cambieranno destinazione d'uso. S.Clemente e San Servolo, ex manicomi ora albergo di lusso e centro studi. Certosa, da caserma a centro velico e scuola del design. Lazzaretto Nuovo, da deposito di munizioni a scuola di studi archelogici, Lazzaretto Vecchio, da caserma a canile, ora felicemente restaurato dal Magistrato alle Acque e in attesa di utilizzo. **Isole private non abbandonate.** Crevan, Santa Cristina, Campalto, Carbonera, Tessera e Sacca Sessola dove i lavori di ristrutturazione da ospedale ad albergo sono fermi per crisi finanziaria. S.Giacomo in Paludo, attualmente in fase di consolidamento strutturale da parte del Consorzio Venezia Nuova e di prossimo riutilizzo sociale. Santa Maria delle Grazie, da

reign Resolution' to link Venice to the mainland with a railway bridge. The Austrian plan, unveiled in 1821, was actually executed by the architect Tommaso Meduna in 1847. At the time it was the longest bridge in the world. To borrow the critical epithet employed by the Senator Pompeo Molmenti, this "barbarism" was to have devastating consequences: San Marco and its basin would lose their age-old function as the economic and commercial centre of the city to make way for the (then) lowlier role of tourist attraction. Venice would gradually become a 'appendage' of the mainland. The islands of the lagoon, challenged in their function of productive and service centres in a self-contained lagoon eco-system, would inexorably decline and become marginalised. A third major factor would also be the millennial problem of subsidence and eustasy to which flood-prone areas are naturally subject.

We might classify these nineteenth and twentieth century mutations as follows: **Islands absorbed into the city or the mainland**, such as Santa Marta and Santa Chiara, redefined by the urbanistic requirements of the railway and the new commercial port. Santa'Elena becomes a new residential quarter of the city. Treporti, Lio Piccolo and Lio Grande become part of the mainland, attached to the Cavallino peninsular. Due to the extension of this sand-shore ridge, Sant'Erasmo is transformed from a sea-facing lido (Litto Bianco) into an internal lagoon island. The 'Twin Forts' of Sant'Andrea and San Nicolò/La Certosa are likewise consigned to internal positions no longer in direct contact with the Adriatic. Next we have **Conjoined islands**, like S.Cristoforo and S.Michele, unified to form the new cemetery after the Austrian administration's refusal of that role to monastery island La Certosa. The list of **Vanished islands** has already been cited in part: S.Leonardo di Fossa Mala and S.Marco di Bocca Lama are mentioned in connection with the great plague of 1348 but few traces of them now remain. Ammiana, Ammianaella, Costanziaca, Centranica have passed into folklore, but in 1938 the historian Vittorio Piva was able to number and illustrate no fewer than eight churches belonging to these islands: S.Felice e Fortunato, S.Zuane, S.Anzolo, SS.Apostoli, S.Lorenzo, S.Andrà, S.Cristina, S.Pietro di Casacalba. A few of these survive in names used by the Burano fishermen for certain sandbanks of the northern lagoon: S.Lorenzo's bank, Paluo della Centrega (interesting here the semantic transformation paluo from palude, marsh or marsh-bank), Ca' Zane valley – and the private island of S.Cristina. Then we have **Drastically reduced islands**, most obviously Torcello. According to Martial, who describes the beautiful villas on the island, there were thirty thousand residents in Roman times. Also Poveglia, whose islanders enjoyed until the end of the Republic the privilege of accompanying the Doge's Bucintoro. Then, **Islands that have lost their former role** but gained another, typically from religious foundation in the days of the Serenissima to military outpost during the French and Austrian occupations. Towards the end of the seventies a number

ospedale per le malattie infettive, acquistata da una società in attesa di essere recuperata ad un uso pubblico. Brillante rimane l'attività di San Francesco del Deserto anche se i frati residenti sono ridotti a quattro. Così come valida è l'attività culturale e religiosa dei padri Armeni a San Lazzaro. **Isole nuovissime**: come tali sono da considerare le casse di colmata nella zona industriale di Porto Marghera, oppure l'isola del Tronchetto (superficie di 18 ettari), sorta nel 1955 dai depositi di materiale edile di risulta e oggi parcheggio automobilistico e importante area di servizi. Ultima nata: l'Isola del Bacan o Novissima (il nome è ancora da definire) sorta artificialmente dopo il 2001 a metà del porto di Lido. Fungerà da centrale operativa per il Mose (Modulo sperimentale elettromeccanico in caso di maree eccezionali). Infine, l'amaro elenco delle **Isole abbandonate** e in pericolo di sopravvivenza: Madonna del Monte, già convento poi polveriera militare, ora a rischio di estinzione, Sant'Arian, ex ossario, La Cura, dove la casa colonica settecentesca è da poco crollata, San Secondo, a rischio il forte austriaco, Santo Spirito, in pericolo di estinzione, San Giorgio in Alga, dove sono stati rubati da poco fregi architettonici e marmi, a rischio di demolizione, Sant'Angelo della Polvere, struttura militare abbandonata del dopoguerra, in precarie condizioni, Le Saline e Buel del Lovo. Ex batterie: Campana o Podo, Ex Poveglia, Fisolo, Trezze. Ottagoni: Alberoni, Abbandonato, Ca'Roman, San Pietro. Tutte oggetto della mostra denuncia organizzata assieme a noi, nel 1978, dall'Associazione Settemari.

Il romantico scienziato veneziano Luigi Carrer così descriveva le isole nel 1847: "Sono intorno a Venezia e le fanno carteggio, quasi ancelle a regina, da forse 25 isolette. Direbbesi che la meravigliosa città, caduta dal cielo e scheggiatasi in qualche parte spargesse a sè intorno questi frammenti di sua bellezza". Appena due secoli prima l'abate Vincenzo Coronelli, cosmografo ufficiale della Repubblica, nell'*Atlante Veneto*, seconda parte del suo ricchissimo *Isolario* così si sbilanciava: "Le isole sopra le quali è piantata la città di Venezia, Nobile Emporio di tutto il mondo, popolata di circa trecentomila persone, dove la natura non produce cosa alcuna, nudriscono però Ingegni così elevati, e di prudenza tanto sublimi, che formano la scuola della vera Politica, e del Governo più saggio dell'Universo". La saggezza di un tempo si è un po' persa e così anche la vera politica. Per le isole veneziane la storia è stato un susseguirsi di saccheggi e di rovina. Agli inizi degli anni Sessanta, paradossalmente, due Decreti Ministeriali dichiaravano le isole di notevole interesse pubblico e le sottoponeva alla "tulela paesaggistica". Dal 1965 al 1968 invece si aggiungeva la dismissione militare di alcune di esse che le portava in brevissimo tempo alla quasi totale distruzione fisica. Le isole ospedaliere furono abbandonate tra il 1970 e il 2001 (ultima Le Grazie). L'Istituto di Architettura di Venezia, riscoprendo alla fine degli anni Settanta il valore insulare, ipotizzava con Vittorio Gregotti che "La costellazione degli insediamenti uniti dal comune legame acqueo rappresenterà per il futuro un grande motivo di opportunità urbanistica. Il riconoscimento di un luogo è all'origi-

of islands changed function: San Clemente and San Servolo, lunatic asylums both, into respectively luxury hotel and university; the Certosa from barracks to sailing marina and design school; Lazzaretto Nuovo from magazine to archaeological school, Lazzaretto Vecchio from barracks to dog-pound, and now, sensitively restored by the Magistrato Alle Acque, awaiting a new role. ***Private islands not abandoned:*** *Crevan, Santa Cristina, Campalto, Carbonera, Tessera and also Sacca Sessola (where work on converting the hospital into a hotel is in abeyance due to financing problems); S.Giacomo in Paludo, currently the subject of structural consolidation work being carried out by Consorzio Venezia Nuova, but destined for some civic project; Santa Maria delle Grazie, former quarantine hospital recently acquired by a private company with a view to conversion into tourist residences. Vibrant still is the life of San Francesco del Deserto, even if the brothers currently actually resident number only four; so too the positive cultural and religious activities of the Armenian fathers on San Lazzaro.* ***Entirely new islands:*** *this category might include the parcels of reclaimed land in the Porto Marghera industrial zone, or the Tronchetto island (44.5 acres), created initially from building waste in 1955 and now the home of a multi-storey carpark and other services. And the latest addition: the island of Bacan, or Novissima (name yet to be settled on) created artificially in 2001 off the Lido straits. This is to be the command centre for the Mosè project (acronym for* Modulo Sperimentale Elettromeccanico in caso di maree eccezionale *- electrically controlled experimental tide-barrier). Lastly we return to the sad roster of the* ***Abandoned islands*** *or those whose survival is in doubt: Madonna del Monte, in its time a convent, then a powder magazine, now risking extinction; Sant'Arian, former ossuary; La Cura, whose eighteenth century farmhouse has only recently collapsed; San Secondo, whose Austrian fort is threatened, Santo Spirito, in danger of total extinction; San Giorgio in Alga, whence marbles and architectural details have lately been looted, menaced with demolition; Sant'Angelo della Polvere, a military outpost abandoned after the war, in a precarious condition, Le Saline and Buel del Lovo, the former batteries Campana, or Podo, Ex Poveglia, Fisolo, Trezze; octagonal forts: Alberoni, Abbandonato, Ca'Roman, San Pietro - all the above highlighted by the exhibition-alert organised in 1978 by the Settemari Association and ourselves.*

The romanticising Venetian scholar Luigi Carrer decribed the islands in 1848 as follows: "Round about Venice, and in correspondence with her, almost like handmaidens to a queen, are upward of twenty-five islands. You might suppose that the marvellous city, falling from the sky and fragmenting somewhat, had scattered about herself these shards of beauty." Roughly two centuries earlier the abbot Vincenzo Coronelli, official Cosmographer to the Republic, in the Atlante Veneto *(Venetian Atlas), the second part of his sumptuous* Isolario *also tilted into hyperbole, "The islands over which is placed the City of Venice, Noble*

ne dell'architettura e l'ecosistema lagunare può essere occasione per la rifondazione di una nuova architettura, nella laguna appunto, dove geografia e storia sono indistruttibili e rappresentano un unicum naturale assoluto". (Ateneo Veneto, 23 febbraio 1979).

La laguna è dunque un insieme di sistemi naturali, storici ed urbanistici che fin dai tempi dei primi insediamenti è stata trasformata in paesaggio e la cui caratteristica fondamentale è il fragile rapporto tra l'antropico ed il naturale. Sapientemente gli antichi veneti hanno saputo mantenere negli insediamenti lagunari un equilibrio tra architettura e natura anche quando fu necessario che la laguna subisse grandi trasformazioni idrauliche come la diversione dei fiumi e i Murazzi. In realtà occorrono enormi risorse per realizzare un supporto economico su grandi dimensioni urbane disperse, perchè non possono esistere soluzioni unitarie e, poiché Venezia può e deve utilizzare la propria eccezionalità, bisogna che le isole abbandonate possano rigiocare un ruolo importante di costellazione nel sistema laguna. Isole come nuovo concetto di dimostrazione urbana, perché Venezia è la sua laguna.

Emporium to all the world, are populated by some three hundred thousand souls. Here Nature produces little indeed of her own, but nurtures such great Minds, such a sublime judgement, that they form a veritable School of True Politics, and conduct the wisest Government of the Universe." The wisdom of those happy times seems to have been lost along the way, not to mention the true politics. The story of the Venetian islands has been a saga of looting and decay. In the early sixties, paradoxically, two Ministerial Decrees declared the islands 'of outstanding public interest' and designated them Conservation Areas; yet it was between 1965 and 1968 that the military decommissioning of some of them abandoned these islands to near total physical destruction. The hospital islands followed, between 1970 and 2001 (Le Grazie the last to go). The Venice Architectural Institute, waking up at the end of the seventies to the islands' potential, opined, in the person of Vittorio Gregotti, "This constellation of settlements linked by a common water system represents a great urban-planning opportunity for the future. A responsiveness to place is the cornerstone of architecture, and the lagoon ecosystem could be the locus for the foundation of a new architecture, right here in our lagoon, where geography and history are indissoluble and comprise a perfect natural unicum."
(Speech at the Ateneo Veneto, 23.2.1979)

In conclusion, the lagoon is a nexus of natural, historic and urbanistic systems which has, since the time of the earliest settlements, formed a landscape characterised by the fragile relationship between the man-made and the natural. Those first Veneti *knew how to maintain among the lagoon communities an equilibrium between architecture and nature, even when it was found necessary to subject the lagoon to major hydraulic mutations, such as the diversion of rivers and the construction of sea-walls. We must accept that considerable resources will be required to establish a viable economic support system over such a widely dispersed urban area, because there is never going to be a single unitary solution, and insofar as Venice can, and should, exploit its uniqueness, the abandoned islands must be enabled to play again their crucial satellite role in the lagoon system. Linked islands as an innovative urban project, because Venice is* its *lagoon.*

Gli autori della ricerca, nel 1978

The authors in 1978

POMPEO MOLMENTI & DINO MANTOVANI: Presentazione delle / *Introduction to*
"Isole della Laguna Veneta" (Venezia, 1895, Bergamo 1905)

…errando insieme per le isole, che fanno corona a Venezia, insieme essi raccolsero osservazioni e ricordi; e dal comune diporto, quasi da un dialogo continuato, il libro si è svolto naturalmente, senza pretese erudite e letterarie, senz'altro proposito che quello di rendere il pensiero di due buoni amici, i quali si uniscono volentieri per dettare qualche pagina intorno a un soggetto che ugualmente li innamora, come volentieri si uniscono per fare insieme qualche bella gita autunnale.

…visitando insieme le isole che fanno corona a Venezia, insieme essi raccolsero osservazioni e ricordi e dal comune diporto, quasi da un dialogo continuato presso la fida macchina fotografica, il libro è venuto fuori naturalmente, senza pretese erudite e letterarie, senz'altro proposito che quello di diffondere nel pubblico amante delle cose belle la conoscenza della parte men celebrata, ma non meno bella, del singolare paese veneziano.

…*wandering together among the islands that form a coronet to Venice, together they accumulated observations and memories and from their common pleasure in this enterprise the book emerged naturally like a running conversation, without literary or scholarly pretensions, with no other end in view than expressing the thoughts of two good friends, who willingly come together to fill a few pages on a subject that enthuses them equally, as they might as willingly adventure together on some pleasant autumn excursion.*

…*visiting together the islands that form a coronet to Venice, together they accumulated observations and memories and from their common pleasure in this enterprise the book emerged naturally like a running conversation between themselves and their faithful camera, without literary or scholarly pretensions, with no other end in view than that of bringing to the attention of a public sympathetic to beauty a less well-known, but no less beautiful, part of the unique Venetian waterscape.*

I "gemelli" trent'anni dopo, 2008

"The twins" thirty years on, 2008

S. Angelo della Polvere, 2008

S. Angelo della Polvere, 2008

Lazzaretto Vecchio, 2008

Lazzaretto Vecchio, 2008

Lazzaretto Nuovo, 2008

Lazzaretto Nuovo, 2008

Lazzaretto Nuovo, 2008.
Scritte murali all'interno del Tezon. In questa datata 1585 si conclude: "Evviva i boni compagni e crepa l'avarizia e ai spioni gli sia chavado i ochi".

Mural inscription in the Great Barn. It concludes in 1585 "Long live good companions, death to avarice and let all spies be struck blind".

Le Saline, 2008

Santo Spirito, 2008

Santo Spirito, 2008

Madonna del Monte, 2008

La Cura, 2008

S. Giorgio in Alga, 2008

S. Giorgio in Alga, 2008

Poveglia, 2008

Sant'Andrea, 2008

PICCOLA ANTOLOGIA DELLE ISOLE DELLA LAGUNA IN GENERALE
SOME GENERAL REMARKS ON THE LAGOON ISLANDS

LUIGI CARRER, *Isole della laguna e Chioggia, in "Venezia e le sue lagune"*, VENEZIA, 1847, vol II, 485.

Sono intorno a Venezia e le fanno corteggio, quasi ancelle a regina, da forse venticinque isolette. Direbbesi che la meravigliosa città, caduta dal cielo e scheggiatasi in qualche parte, spargesse a sé intorno questi frammenti di sua bellezza. Ma lasciando tali ed altre siffatte immaginazioni a' poeti, diremo non essere alcuna per avventura di tante isolette che non attragga a sé l'attenzione, non abbia la propria storia, e non porga quindi materia d'eruditi ragionamenti. Parleremo di presso che tutte con brevi parole, raccogliendo da più libri le sparse, e non raramente incerte e discordi notizie che se ne hanno per mettere poi un qualche ordine nel nostro discorso, divideremo le isole poste a mezzodì da quelle che rispondono a tramontana; divisione seguita da altri che scrissero prima di noi su questa stessa materia.

Round about Venice, and in correspondence with her, almost like handmaidens to a queen, are upward of twenty-five islands. You might suppose that the marvellous city, falling from the sky and fragmenting somewhat, had scattered about herself these shards of beauty. But leaving these and other such imaginings to the poets, we shall state nonetheless that there is not one of these many islets that does not call attention to itself in some way, or that is without its own history and deserving therefore of erudite discussion. It is our intention in the present work to assemble the scattered and often uncertain and conflicting reports about these islands from the various sources, and give a brief description of each. To bring order to our disquisition, we shall divide the islands into those of the southern and the northern regions of the lagoon, a division already imposed by previous authors in their writings on the subject.

POMPEO MOLMENTI e DINO MANTOVANI, *"Le isole della Laguna Veneta"*, VENEZIA, 1895, 5-10.

Visitare le isole sorgenti come cespi di verzura nella placida distesa delle Lagune non è cosa solita nemmeno per i Veneziani i quali si può dire che conoscano poco la loro meravigliosa città, giacchè si contentano quasi tutti di conoscerla nella sue bellezze più appariscenti, nelle sue parti più celebri e universali, che da secoli suscitano l'entusiasmo di tutti il mondo civile; mentre le parti sue più recondite, e talvolta non meno belle e degne, son meglio note agli stranieri che vi piovono ogni anno a migliaia e ne cercano anche gli angoli più riposti… Dugent'anni or sono il padre Vincenzo Coronelli, imprendendo a descrivere le isole di tutto l'orbe conosciuto nel grande Isolario, che forma la seconda parte del suo Atlante Veneto, opera cosmografica rispetto ai tempi meravigliosa, dava il primo luogo, per affetto figliale e per sincero entusiasmo d'ammirazione, alle 138 isole di Venezia, e ne raccontava le origini e le mutazioni, i fasti civili ed ecclesiastici, le bellezze artistiche, con l'enfasi spagnolesca del tempo suo, con gran copia di dediche a imperatori, a principi, a patrizi illustri, e insieme con la coscienziosa diligenza di un ricercatore moderno. "L'isole sopra le quali è piantata la città di Venezia, Nobile Emporio di tutto il Mondo, popolata di circa trecento mila Persone, dove la natura non produce cosa alcuna, nudriscono però Ingegni così elevati, e di prudenza tanto sublimi, che formano la Scuola della vera Politica, e del Governo più saggio dell'Universo". Cosi scriveva il Coronelli, giusto un secolo avanti la caduta di San Marco. Oggi le sue parole sembrano quasi una ironia,

Exploring the islands that rise like tufts of greenery from the still expanse of the Lagoon is not a common activity even for Venetians who, it might justly be said, are little acquainted with their fair city, being almost universally content to limit their knowledge of her to those parts which are most striking, most famous and of world renown, and which have for centuries aroused the enthusiasm of all civilized men. Those parts of her instead that are more hidden, yet frequently no less beautiful and worthy of note, are better known by foreigners who, arriving each year in their thousands, seek out her more secluded quarters… Two hundred or so years ago, Father Vincenzo Coronelli set out to describe the islands of the entire known world in his great Isolario, the second part of his Atlante Veneto, a cosmographical work that is extraordinary for its time. In a spirit of filial affection and sincere admiration, he accorded a position of prime importance to the 138 islands of Venice, describing, with the grandiloquence typical of his time, their origins and mutations, the annals of their civic and ecclesiastical life as well as their artistic splendours, and interspersing this with an abundance of dedications to emperors, princes and illustrious noblemen in a text which bears all the hallmarks of the conscientious diligence of a modern researcher: " The islands over which is placed the City of Venice, Noble Emporium to all the world, are populated by some three hundred thousand souls. Here Nature produces

poichè quella grandezza, quella politica, quel governo sono periti per sempre, e le isole di Venezia hanno perduto tanta parte di ciò che il "cosmografo pubblico" vi ammirava; ma l'opera sua rimane come uno specchio del passato, a cui gli occhi nostri tornano volentieri, dopo avere considerato le cose presenti. Delle isole che sparsamente la circondano, Venezia fece ripari contro gli elementi, baluardi contro i nemici, luoghi di delizia per il suo popolo, orti e vivai per i suoi mercati, romitaggi per i suoi religiosi, sepolture per i suoi morti: ciascuna delle sue vicende storiche vi ha lasciato un monumento, ciascun de' suoi costumi una traccia che è bello ritrovare. Tutta la filosofia della vita e della storia sta nel sapere che dove un tempo romoreggiava un popolo adesso tace un deserto, che dove si pregava adesso si lavora, che l'arte raggiava là dove ora geme la miseria: e i morti e i vivi si avvicendano e si mescolano in un quadro di continui rivolgimenti a cui la vaghezza dell'aria e delle acque forma una cornice di sempre uguale splendore.

little indeed of her own, but nurtures such great Minds, such a sublime judgement, that they form a veritable School of True Politics, and conduct the wisest Government of the Universe.". Thus wrote Coronelli a century before the fall of the Republic. Today his words seem almost to mock us, for that greatness, together with the government that inspired it, has disappeared for ever and the islands of Venice have lost much of what their "official cosmographer" found to admire. His work remains, however, like a mirror of the past to which, after we have surveyed the present situation, we are thankful to return. The scattered islands surrounding Venice variously provided her with shelter from the elements, a bulwark against her enemies, places of recreation for her people, market gardens and fish-pools for her markets, hermitages for her religious orders, and burial grounds for her dead. Upon them, each one of Venice's historic vicissitudes has left a monument, each of her customs has left traces which are fascinating to rediscover. The whole of our philosophy of life and of history is contained in the knowledge that a place which once bustled with human activity is now a silent desert, that where once people prayed, now they labour, that where once art radiated its splendour, now there is only poverty and squalor: thus the affairs of the living and the dead are mingled in a single narrative of upheaval, around which the magic of air and water forms a frame of still untarnished magnificence.

FELICIANO BIANCHI, *"Isole Veneziane"*, VENEZIA, 1938, 5-6.

Non è possibile descrivere le belle isole del nostro estuario senza ricordarne le origini gloriose, i nobili fasti, gli artistici pregi delle chiese e dei monumenti, senza accennare alla magica bellezza dei tanto vari e incantevoli panorami che le isole ci offrono nel quadro sublime delle lagune Venete.

Ma la semplice rievocazione delle naturali bellezze, delle arti e delle antiche glorie, per quanto necessaria a bene riprodurre il nostalgico splendore di questi luoghi così cari a noi Veneziani, così ammirati da tutti gli stranieri, sarebbe del tutto sterile se, contro gli avversi fattori storici e politici, etici ed economici che tanto fecero decadere le isole nostre, non opponessimo una fede viva ed un'operosa volontà alla loro rinascita. La scena non è lieta. Nel giocondo e smagliante spettacolo lagunare, spettacolo di vita che freme nel fulgore delle luci, nel mistero delle ombre, nell'azzurro del cielo e del mare, è penoso il contrasto che ci offre l'aspetto di tante isole veneziane, alcune poco conosciute, altre troppo dimenticate, altre ancora martoriate dal tempo o del tutto neglette quali miseri avanzi di un tragico naufragio.

Esse devono rivivere. Abbiamo accennato alla loro storia e alla loro arte per mettere in migliore evidenza il loro titolo di nobiltà e il loro diritto alla vita. Ma ciò non basta. Non abbiamo voluto soffermarci sui nostalgici ricordi. Non amiamo le vane lamentele. Abbiamo invece preferito suggerire qualche proposta tendente a

A description of the delightful islands of our estuary would be impossible without mention of their glorious beginnings, of the noble chronicles of their past, the artistic grandeur of their churches and monuments, and the magical beauty of the many various and charming vistas which the islands offer us, all within the sublime setting of the Venetian lagoon.

Though certainly we might conjure the nostalgic splendour of these places, so dear to us Venetians and so admired by all foreigners, simply by calling to mind their natural beauty and their arts and past glories, nonetheless it would be a sterile exercise if, in the face of the adverse historical and political, ethical and economic factors which have brought our islands to their present ruinous condition, we did not counter this state of affairs by expressing a vigorous faith and an active desire that they might yet live again. The scene is not encouraging. The dazzling radiance of the lagoon offers us a spectacle of life which pulsates in the brilliance of the sunlight, in the mystery of shadows, in the azure of the sky and the sea, so that it is all the more distressing to witness the plight of so many Venetian islands, some little known, others too thoroughly forgotten, yet others suffering the ravages of time or neglected altogether like the pitiful remains of a tragic shipwreck.

They must live again. We have mentioned their history and

infondere un impulso nuovo di vita sulla maggiore parte dell'arcipelago lagunare, dove purtroppo vediamo incombere il pericolo di un lento fatale disfacimento.

Non vogliamo pretendere che le nostre proposte siano perfette. Non lo sono certamente. Ai cortesi consensi preferiamo richiamare gli animosi alla cortese e vivace lotta di idee, perché è dalla lotta che scaturisce la vita. Temiamo invece l'oblio che ricopre di polvere le antiche vestigia, temiamo il silenzio e l'abbandono che sono sempre attribuiti alla morte…

…La decadenza delle nostre belle isole, così sorridenti nell'azzurro del cielo e delle acque tranquille, continuò il suo fatale declino, la voce festosa degli esili campanili andò affievolendosi, la popolazione continuò a diminuire, di molte isole scomparve perfino il nome. Di S. Giorgio in Alga, ricca di una celebre biblioteca non rimane nemmeno la cella tanto venerata di S. Lorenzo Giustiniani; di S. Secondo dove esisteva un monastero de' Benedettine, più nulla; di Ammiana, di Costanziaca, di S. Giacomo in palude, del Lazzaretto Vecchio, di tante altre isole minori che le stampe antiche ci rappresentano densamente abitate, pochi ruderi dispersi, qualche campanile mozzato, qualche chiesa ridotta ad umile stalla o pagliatoio. Sulle rosse muraglie dirute, una vegetazione esuberante s'arrampica e rigurgita, in un penoso contrasto fra potenza di vita e silenzio di morte.

Vive solo grande ed eterno il sublime incanto del panorama lagunare, vive esso con tutto il suo fascino, con tutti i suoi colori, con tutte le sue luci, le sue sfumature, le sue ombre, vive ancora il fremito delle acque, il canto lieto degli uccelli, il lieve soffio delle brezze. Vive quanto la natura divina ha conservato nelle sue perfette armonie ad elevazione del nostro spirito, perché l'uomo raccogliendosi nella sua ombra, in tanto silenzio, s'innalzi a guadare al di là della vita il mistero dell'ignoto…

È inutile il rimpianto. È fatale che la morte abbia i suoi diritti, sappiamo bene che la storia non si ripete, che è vano sperare il ritorno dei tempi defunti. Ma sappiamo anche che se per destino naturale le cose umane sono nate per morire, è dalla morte che rinasce la vita. Tante nostre isole possono e devono rinascere. Noi vorremmo che una commissione ben scelta fra gli amici dell'arte, della storia, dei traffici, del mare, soprattutto del mare, esaminasse ad una ad una le isole minori del nostro estuario per suggerire e promuovere ogni iniziativa alla loro rinascita. Qui un centro abitato, là un monastero, altrove un Istituto di Cultura o di arte, o di artigianato, o un cantiere o una borgata di pescatori ed ove è possibile qualche invitante posto di ristoro all'ombra di un verde pergolato.

L'amore alla vita, il bisogno, l'ardire, la gioia di lottare e dominare le forze avverse o l'avverso destino, devono superare e vincere in noi la tendenza ai ricordi nostalgici e al rimpianto dei tempi trascorsi, tendenza che può incatenare nell'inerzia la più alta e nobile attività umana: la volontà creatrice.

La rinascita delle nostre isole, creando e favorendo interessi

their art the better to demonstrate their claim to nobility and their right to life. But that is not enough. It has not been our intention to unleash an outpouring of nostalgic memories. We have no time for vain lament. We have preferred instead to put forward some proposals which might give rise to an impulse of new life in those parts of the lagoon archipelago which unfortunately we see threatened by a slow and fatal process of decay.

We don't pretend that our suggestions are perfect, they most certainly are not. Rather than settle for polite agreement we have preferred to urge all brave spirits to a courteous and lively exchange of ideas, for it is from conflict that the spark of life arises. Our greatest fear instead is oblivion which, stealing over the ancient remains, deposits a layer of dust, and we fear also the silence and abandonment which are always attributed to death…

..The fatal decline of our beautiful islands, shimmering under the azure skies and lapped by tranquil waters, continued apace, the joyous pealing of their bells grew ever fainter, their populations went on shrinking, the very name of many islands was lost. At S. Giorgio in Alga, whose riches once included a famous library, there is not even a trace of the greatly venerated cell of S. Lorenzo Giustiniani; of S. Secondo, which once supported a Benedictine convent, nothing remains; of Ammiana, Costanziaca, S. Giacomo in palude, the Lazzaretto Vecchio and other minor islands, all of which, as we can see from antique prints, were once densely populated, there remain only a few scattered ruins, the odd truncated bell tower, churches reduced to humble shelters for livestock or fodder. Exuberantly growing plants scramble over and suffocate the crumbling pink walls, marking a painful contrast between the forces of life and the silence of death.

The only thing that lives on, eternally magnificent, is the sublime enchantment of the lagoon landscape: its magical beauty survives intact, with its colours, its myriad light effects, its nuances, its shadows; so too the soft stirring of the waters, the joyous cries of birds, the whispering breezes. All that which divine Nature has preserved in perfect harmony to exalt our spirit is to be found there still. So that man, collecting himself in silence, in nature's shadow, may raise his eyes to look beyond life and behold the mystery of the unknown…

Nostalgia is useless. Death is destined to exercise its rights. Although we know that history does not repeat itself, that to hope for the return of past times is vain, we also know that if all human affairs are destined naturally to die, it is also the case that life is born from death. Many of our islands can and must be reborn. What we ask is that a commission be formed, made up of members carefully chosen among those who care for art, history, commerce, the sea, above all the sea, and that they be charged to consider in turn each one of the minor islands of

nuovi, svilupperà maggiormente quel movimento turistico che rappresenta per Venezia una attività della più alta importanza, movimento che verrà ad estendersi non per studiati artifici, ma per un'insopprimibile realtà: la divina bellezza e le particolari attrattive del nostro panorama lagunare…

Non vogliamo troppo soffermarci sulle rievocazioni del passato per quanto glorioso e ben degno di ricordo, né amiamo indugiarci con sterili lamentazioni sul presente stato di abbandono di tante isole nostre che specialmente a settentrione di Venezia affiorano sulle quiete acque come miseri relitti di un tragico naufragio.

Con queste note desideriamo dimostrare che preferiamo guadare fiduciosi un avvenire operoso, che assistere inerti a contemplare il crepuscolo di una grande luce che muore. E perciò ci siamo studiati di indicare le varie possibilità onde far rivivere isole che, già un tempo fiorenti, sono oggidì pressoché o totalmente abbandonate o di altre che, pur essendo parte vivente della nostra vita lagunare sono suscettibili di un migliore sviluppo, intonato alle possibilità della vita moderna, non ultima quella della valorizzazione turistica. E sempre in modo tale che la tradizione, l'arte, il panorama siano rigorosamente rispettati.

our lagoon, and suggest and promote initiatives for their rebirth. There could be a village here, a monastery there, somewhere else an institute for culture, or art, or crafts, or a boatyard or a fishing village, and where possible, a welcoming inn for refreshment in the shade of a green arbour.

Love of life, necessity, daring, relish for the fight and defeat of the adversary or of adverse destiny: it is with such impulses as these that we must vanquish our tendency to nostalgic remembrance and regret for times past, a state of being which risks paralyzing the highest and most noble of all human activity: the creative spirit.

By creating and promoting new initiatives, the rebirth of our islands will give added impetus to the burgeoning tourist industry, an activity of the greatest importance for Venice, the growth of which need not be stimulated by artificial means but is destined to become a reality thanks to the divine beauty and the unique appeal of our lagoon panorama...

We shall not dwell excessively on evoking the past, though it be both glorious and worthy of recall, nor do we wish to indulge in sterile complaint about the present state of abandon of so many of our islands which, especially in the northern lagoon, rise out of its quiet waters like miserable ruins from some past calamity.

Our purpose in these pages has been to demonstrate that we prefer to look with hope upon a future that is industrious, rather than stand idly by and watch the dying throes of a great and shining light. We have therefore been at pains to point out the various possibilities for breathing life back into islands which once were prosperous and today are either almost or completely abandoned, or still others which, though yet a living part of our lagoon life, are ripe for further development of a type suited to the exigencies of modern life, not least of which would be the exploitation of their tourist potential. It goes without saying that this would have to be achieved with strict respect for the traditions, the art and the landscape of the place.

EUGENIO MIOZZI, *"Venezia nei secoli"*, VENEZIA, 1957, vol. III, 180-181.

Paesisticamente esse non offrono, salvo il fenomeno del miraggio che le solleva dal mondo, una particolare prestanza che le ponga all'altezza di caratteristici paesaggi nazionali, come li troviamo a Napoli, a Firenze, a Roma; ma per la loro giacitura nella ampiezza delle acque che le circondano, per la placidità e la quiete dell'ambiente, per la stessa loro solitudine e per il silenzio immenso che le domina, offrono una accogliente serenità rara a trovarsi in questo mondo trasformato dal motore e dallo smog, e invitano al divagare della mente senza scopo, al riposo, al sogno.

Le isole sono un patrimonio di ricordi, di civiltà, di grandezza trascorsa; ma esse, insieme a questi titoli di vecchia nobiltà, hanno i germi di una ricchezza virtuale e di futuri profitti, se verranno inserite nella vita di Venezia, se verranno tolte dall'ombra e dal silenzio

Apart from the mirage-like phenomenon whereby in certain atmospheric conditions the islands of the lagoon seem to float in mid-air, in terms of landscape qualities, they offer no striking characteristic to equal other renowned landscapes of our nation such as those of Naples, Florence or Rome. Lying as they do in the wide embrace of their surrounding waters, in an atmosphere of stillness and calm, their very solitude and the immense silence which dominates them offer a welcome tranquillity that is increasingly hard to find in a world transformed by motor engines and smog, and which invites us to repose, to dream, to allow our thoughts to drift.

The islands are a treasure-trove of memories and of past glories, but aside from their claims to an ancient and noble

in cui sono state confinate nel passato e in cui si vorrebbe, da qualche sconsigliato, ancora mantenerle.

Le isolette poi sono sorelle minori di Venezia, sono il complemento del suo spazio e del suo paesaggio, sono la punteggiatura verdeggiante di questo gran mare di luce, di questa grande luce di mare, che ci investe e ci inebbria. Byron le ricorda "sorgere dalle acque…quasi evocate da una fata". Emilio Castelar le definì "giardini galleggianti, dovizie di vegetazione, di fiori, di gorgheggi, dove ancora risplendono vaghissimi edifici (allora però; adesso non più) ancorati in quel mare di rimembranze indelebili e di eterna poesia".

Persino la prosa ministeriale ufficiale ha reperito una ondata di lirismo: "i fossati, le cavane, gli incerti arginelli, i rudimentali approdi ecc. ecc. costituiscono interessantissime e suggestive vedute panoramiche di eccezionale bellezza naturale e degna cornice allo specchio lagunare di Venezia".

E potrei ancora seguitare a riportare brani di questo tono in aggiunta ai miei, a quelli del Byron, del Castelar, e della burocrazia ministeriale; ma con le dolcezze romantiche e con le svenevolezze flautate di questo genere non si combina niente. Le isole per essere salvate e per ritornare a splendere hanno bisogno di due cose: la prima è di essere protette contro la distruzione fisica che sta facendo di esse il vicino più assiduo, il mare, il quale con la erosione della battigia ne sta rovinando le sponde e minaccia di inghiottirle come ha già fatto per tante di esse; la seconda è di essere protette dall'abbandono da parte della gente. Per vivere hanno anche esse bisogno di sangue che circoli, di persone che ad esse confidino la loro vita, che vi soggiornino, che le percorrano, che ne sentano i palpiti, che di esse gioiscano e che le amino di un affetto passionale e ricambiato.

Forse in queste espressioni c'è della rettorica, ma quando viene su spontanea bisogna dirla, anche se la moda d'oggidì la disprezza.

lineage, they also contain the germs of potential wealth and of future profits. This is dependent, however, on their being included in the life of Venice once more, on their re-emergence from the shadows and the silence to which they have been confined in the past and to which some, mistakenly, continue to relegate them.

The smaller islands are, after all, the little sisters of Venice, the completion of her space and her landscape. They are green-hued dots in a great sea of light, in the great light of sea that dazzles and inebriates us. Byron writes of them as "rising out of the waters…as if conjured by a fairy". Emilio Castelar described them as "floating gardens where vegetation, flowers, the warblings of birds abound, where crumbling ruins are still resplendent (then, but no longer), anchored in that sea of everlasting memory and eternal poetry".

Even official government prose could be engulfed in a wave of lyricism: "The ditches, the make-do boat shelters, the uncertain little dykes, the rudimentary moorings etc, all make for fascinating and charming landscape vistas of exceptional natural beauty and constitute a visual context worthy of Venice's mirror-like lagoon setting".

One could go on quoting comments in the same vein, adding one's own to those of Byron, Castelar and the government bureaucrats. But such romantic blandishments, such languid sentiment will not get us very far. Two things must happen if the islands are to be saved and returned to their former splendour: the first is that they must be protected from the physical destruction that is wrought daily upon them by that most assiduous of neighbours, the sea. Its constant erosion of the islands' margins is ruining their shorelines, and threatening to overwhelm them altogether, as is already the case with so many. The second is that the islands must be protected from abandonment by people: in order to survive, they too need the pulse of life-blood, people who depend for their livelihood on them, who live on them, walk their paths, who feel the beating of their heart, who take pleasure in them and animate them with a passionate and reciprocated affection.

Such expressions may be perceived as rhetoric, but when they are one's earnest belief, they must be given voice, even when the present fashion is to scorn them.

G.PEROCCO e A.SALVADORI, *"Civiltà di Venezia"*, VENEZIA, 1976, 1331-1339.

Lo spazio lagunare ha sempre costituito, sin dai tempi più remoti, per opera della stessa natura, un vasto bacino di comunicazioni, di traffici e quindi di insediamenti; punto di incontro nodale di percorsi marittimi e fluviali, oltre che stradali. I fiumi, penetrando a ventaglio in tutto l'arco dell'Italia nord-orientale, hanno rappresentato il naturale sbocco di un territorio vastissimo verso la laguna, esteso fin alle Alpi ed oltre, e spalancato a sud verso l'Adriatico e il Mediterraneo orientale.

Since earliest times the lagoon region has, thanks to its very nature, been a vast crucible of communication, trade and human settlement, serving as a nodal point for shipping routes as well as for river and road traffic systems. The rivers which flow through it fan out over the whole of north-east Italy, draining a vast territory that stretches as far back as the Alps and beyond, for which the lagoon serves as a natural outlet, providing access to the Adriatic and the eastern Mediterranean.

La laguna ha quindi avuto sempre tre dimensioni: come spazio abitato, anzitutto, e come testa di ponte per le comunicazioni continentali e marittime; lungo privilegiato di insediamenti proprio per questa sua posizione centrale di un vasto e complesso sistema di collegamenti. L'importanza della laguna da un punto di vista fluviale è spesso sottovalutata, perché si tende in genere a sottolineare ed ingigantire l'aspetto marittimo della storia di Venezia, mettendo in seconda ordine i suoi rapporti con l'entroterra e la pianura padana, che è sempre stato l'altro fondamentale polo della sua esistenza.

La laguna, non solo dal punto di vista naturale ed idraulico, ma anche da quello economico e politico, costituisce una specie di instabile ago di una bilancia che è costantemente sottomessa alle forze opposte e spesso contraddittorie di due piatti ideali: quello marittimo, mercantile e intercontinentale, da una parte, e quello fluviale, agricolo e continentale, dall'altra. Dall'incontro e dalla dialettica di queste forze, che sono pure forze storiche e culturali, è nata appunto la straordinaria complessità e originalità della civiltà veneziana.

Significato delle lagune. Gli spazi lagunari costituiscono in tal modo degli habitat ideali, protetti come sono dalle tempeste del mare e dalle incursioni dei nemici, mentre i percorsi interni sono facilitati dal fatto che le acque sono sempre calme e navigabili. Un tale ambiente è inoltre molto favorevole sia alla produzione agricola (i terreni sabbiosi sono molto adatti alla coltivazione di ortaggi e frutteti) che alla pesca (si svolga essa in mare aperto o nelle "valli" delle zone barenose). Gli abitanti delle lagune pertanto, nonostante la fragilità e l'instabilità del terreno, godono di una situazione propizia per lo sviluppo di una economia quasi completamente autonoma in relazione al retroterra, potendo nel contempo rimanere in contatto fruttuoso con territori anche molto lontani…

…Queste isole fornivano servizi essenziali alla città, vi erano anzitutto le isole convento che offrivano varie forme di assistenza, oltre a quella religiosa: culturale (S.Giorgio Maggiore, S.Michele), ospedaliera (Lazzaretto Vecchio, S.Clemente, La Grazia, S.Servolo, Lazzaretto Nuovo), per i ricevimenti ufficiali (S.Nicolò, S.Spirito), ecc. A queste isole, generalmente piccole, si devono aggiungere le isole maggiori, grandi zone agricole (come S.Erasmo, le Vignole, il Lido, Pellestrina e le penisole, un tempo isole, del Cavallino e di Sottomarina, presso Chioggia, ecc.) e industriali, come Murano, dove sin dal XII secolo si concentrò la produzione del vetro, e le varie zone destinate alle saline come si vedrà più avanti.

There have thus always been three dimensions to the life of the lagoon: in the first place and most significantly, it has always provided a habitable environment; it has also been a hub of communication, both continental and maritime. Indeed its very centrality in a vast and complex web of communication made it a favoured place of settlement. The importance of the lagoon from the point of view of its river systems, however, is often underestimated, with the emphasis being placed, sometimes excessively, on the maritime aspect of Venice's history. As a result, Venice's relationship with her hinterland and the Po valley, which has always been the other vital factor in her existence and is of fundamental importance in her history, has been relegated to a secondary role.

Economical and political factors have conspired, along with Venice's geographical position and aquatic nature, to make her position somewhat akin to the pointer on a pair of weighing scales, wavering constantly between two opposing and often contradictory tendencies: on the one hand maritime, mercantile and intercontinental and on the other, fluvial, agricultural, and continental. It was from the meeting and the resultant exchanges between these two historical and cultural forces that the extraordinary complexity and originality of Venetian civilization was born.

The significance of the lagoons. *The lagoon is therefore an ideal habitat, protected as it is from sea storms and from enemy invasion while movement within the lagoon itself is facilitated by navigable, calm waters. It is, furthermore, a very favourable environment for both agriculture (the sandy soils are particularly suited to vegetable and fruit growing) and fishing (both in the open sea and in the "valleys" of the salt marshes). This means that, despite the fragility and instability of the terrain, the inhabitants of the lagoon enjoy a situation propitious to the development of an economy that is almost completely independent of the mainland, while being able at the same time to maintain fruitful contact with the most distant lands…*

…These islands provided essential services to the city, especially the convent islands which offered various sorts of assistance in addition to those of a religious nature: sometimes these were cultural (S. Giorgio Maggiore, S. Michele), whereas others supported hospitals (Lazzaretto Vecchio, S. Clemente, La Grazia, S. Servolo, Lazzaretto Nuovo), or provided premises for official receptions (S. Nicolò, S. Spirito), etc. While the aforementioned islands were generally small in size, mention must also be made of the principal islands constituting large agricultural areas (such as S. Erasmo, Le Vignole, the Lido, Pellestrina and the peninsulas or former islands of Cavallino and Sottomarina near Chioggia etc), as well as industrial centres such as Murano where glass production has centred since the 12th century, and the various zones where salt was extracted, of which more later.

VINCENZO FONTANA
Prefazione "Isole abbandonate della laguna", VENEZIA, 1978, 15-16.
An introductory note written for the first edition of this book, VENICE, 1978, 15-18.

Venezia e le isole, un rapporto sempre mutevole come l'ambiente lagunare e il modo di percorrerlo, abitarvi, lavorare o trovarvi svago. Nella pianta di Benedetto Bordone (1528) le isole minori appaiono già caratterizzate dai conventi, cinte da alti muri che la dividono drasticamente la terra dall'acqua, apparizioni "metafisiche" come le ha sapute rappresentare Vincenzo Coronelli (1696). Nel Bordone la laguna è il "gran lago" di cui parla Alvise Cornaro, se la difesa verso il mare è assicurata dai Lidi, meno sicura è quella verso la Terraferma.

Michel Sanmicheli propone da quella parte un canale di recinzione e Cornaro un argine per chiudere Venezia e le isole in un cosmo autosufficiente, sicuro dalla natura e dagli uomini. Ma questo disegno comporta la morte di Torcello e della laguna di Chioggia, la chiusura dei porti eccetto S.Nicolò e l'eliminazione degli spartiacque, perciò vi si oppone Cristoforo Sabbadino, fedele al principio di intangibilità fissato nel 1501. E così la vita delle isole rimane precaria, allora minacciate dall'acqua dolce dei fiumi, ora da quella salata di una laguna fin troppo viva e profonda. Alcune, più vicine alla città, sono state assorbite: S.Giorgio Maggiore, inclusa da Palladio nella grande "addizione" urbana del Bacino di S.Marco, S.Elena raggiunta dal nuovo quartiere e S.Chiara cancellata da Piazzale Roma. Altre, nonostante le trasformazioni militari e assistenziali hanno conservato la matrice della comunità religiosa che le abitò, "repubbliche" staccate dalla città secolare per vivere secondo le proprie "regole". E per la loro posizione lungo i canali avevano ospizi e foresterie dove chi percorreva la laguna trovava assistenza, come S.Giorgio d'Alega e S.Secondo.

Venezia è un porto e alcune delle isole sono in sua funzione. Il forte di Poveglia controlla la bocca di Malamocco, l'unico ingresso agibile alle navi, e il Lazzaretto vecchio è un luogo di quarantena collocato strategicamente lungo il canale di collocamento con il Bacino di S.Marco, le sue confortevoli abitazioni a schiera con i grandi camini possono alloggiare ambasciatori e persone di riguardo. Il Lazzaretto nuovo è un grandioso complesso cinquecentesco ispirato dall'organismo a cellule della vicina Certosa. S.Angelo della Polvere è l'isola dove si trasporta la polveriera, troppo pericolosa per l'Arsenale, ma dal Coronelli vediamo che molte isole monastiche sono obbligate a tenerne una.

Fin dal Cinquecento vi sono progetti per S.Cristoforo e S. Michele. Alvise Cornaro propone l'imbonimento di molte sacche ai limiti della città per creare nuovi alloggi in una città in piena espansione demografica e definirne i limiti con fondamenta che corrispondono all'argine percorribile che deve abbracciare la laguna verso la Terraferma; così propone di collegare Venezia

Venice and her islands, an ever-changing relationship like the lagoon itself, the way we move around in it, live and work and take our leisure in it. In Benedetto Bordone's 1528 map, the minor islands are already typically occupied by monasteries, surrounded by high walls that decisively separate the land from the sea, "metaphysical" apparitions as Vincenzo Coronelli was able to represent them (1696). For Bordone the lagoon is the "great lake" that Alvise Cornaro talks about; if the defence towards the sea is assured by the lidi, less secure is the defence towards the mainland.

Michel Sanmicheli proposes an enclosing circular canal and Cornaro a dyke to close off Venice from the mainland in a self-sufficient cosmos, safe from nature and man. But this project would involve the death of Torcello and the lagoon of Chioggia, the closure of the ports except for S. Nicolò and the elimination of the watersheds, on which grounds it is rejected by Cristoforo Sabbadino, remaining faithful to the principle of inviolability established in 1501. So the life of the islands remains precarious, once threatened by the fresh waters of the rivers now by the threateningly deep and wave-prone salt water of the lagoon. Some islands, closer to the city, have been absorbed: S. Giorgio Maggiore was included by Palladio in the great urban "addition" of S. Mark's basin, S. Elena became a new quarter, and S. Chiara was obliterated by Piazzale Roma. Others, in spite of later military and social transformations have kept the matrices of the religious communities who once inhabited them, "republics" that were detached from the secular city and lived according to their own rules. Thanks to their position along the canals they afforded hospices and lodgings to travellers in the lagoon, where they could find refuge and assistance, such as S. Giorgio d'Alega and S. Secondo.

Venice is a port and some of the islands are instrumental in this function. The Fort of Poveglia controls the straits of Malamocco, the only navigable entrance for large ships; the Lazzarettto Vecchio is a quarantine island, strategically placed along the canal connecting with S. Mark's Basin. Its rows of pleasant tall-chimneyed dwellings can also accommodate ambassadors and important visitors. The Lazzarettto Nuovo is a grand XVIth century complex taking its inspiration from the cell system of the nearby Certosa. S.Angelo della Polvere is the island where the gunpowder magazine is located, having been moved from the Arsenal where it was considered too dangerous, but from Coronelli we can see that many monastic islands were also forced to house a smaller store.

Projects for S. Cristoforo and S. Michele date back to the XVIth century. Alvise Cornaro suggests the reclamation of several inlets at the borders of the city to create new housing for the

a Murano con un terrapieno che passa per queste isole. E nel Seicento, dopo la costruzione delle Fondamenta Nuove il progetto è ripreso; un precedente di tanti progetti più recenti di collegamenti viarii lagunari. Così ai primi del Novecento le Società del Cellina e Adriatica scelgono S.Secondo come tappa e appoggio dell'elettrodotto Campalto-S.Geremia, che ancora per poco esiste.

La crisi della città, dopo la fine della Repubblica si riflette in modo drammatico nelle isole con la soppressione dei conventi e l'occupazione militare. Inizia il processo di abbandono e spoliazione che continua ininterrotto da due secoli. Ai Francesi va il merito di aver redatto la prima mappa scientifica della laguna e di essersi posto il problema di come utilizzare alcune isole: il cimitero a S.Cristoforo e a S.Michele e quasi dappertutto fortificazioni per il blocco continentale. La restaurazione austriaca realizza questi progetti, spesso distruggendo quanto rimane e vincolando le isole al Demanio militare. Altre diventano private e S.Felice è il centro della prima salina moderna d'Italia; nonostante i pareri sfavorevoli dei tecnici si allagano le valli da pesca arginate.

L'idea di Cornaro di rendere Venezia autosufficiente dopo Cambrai, riaffiora nelle preoccupazioni dei militari austriaci, si propone addirittura di creare "polders" accanto alle isole con mulini a vento per coltivare grano. L'Austria non ha avuto idee chiare intorno alla laguna e nemmeno l'Italia. La legge di Salvaguardia pare ribadire i vincoli militari e dagli strumenti urbanistici non affiorano proposte coordinate. S.Spirito, completamente saccheggiata, e il Lazzaretto vecchio saranno isole turistiche in appoggio al Lido, le altre rimangono vincolate e destinate a una rovina che i rifiuti dei gitanti non rendono nemmeno romantica.

Le foto che i fratelli Crovato hanno raccolto nelle loro perlustrazioni sono il documento allarmante del loro stato attuale. E' inutile ora abbandonarsi al rimpianto del "come erano" attraverso il confronto con le incisioni settecentesche brulicanti di barche e di vita del Tironi-Sandi, e le annotazioni ormai desolate di G.Guardi, ma censire e catalogare ciò che rimane di questi segni del testo lagunare prima che siano cancellati definitivamente.

fast-growing population and to define its limits with a circumference of quays on the mainland-facing side; his plan envisages linking Venice to Murano by means of an embankment that passes through these islands. In the XVIIth century, after the construction of the Fondamenta Nuove, these ideas are given a new impetus and become precedents for many more recent proposals for an intra-lagoon network. Thus at the start of the XXth century the Cellina - Adriatica Company chooses S. Secondo as a base for the long distance power-line from Campalto to S. Geremia, that may still be in existence for a while longer.

At the end of the Republic, the crisis of the city affects the islands dramatically, with the suppression of the monasteries and the military occupation. This is when the process of abandonment and spoliation which has continued uninterrupted for two centuries begins. The French have the merit of having compiled the first scientific map of the lagoon and of having posed themselves the question of how best to exploit some of the islands: theirs is the cemetery at S. Cristoforo and S. Michele and rampart fortifications for their continental landholding throughout the lagoon. The reinstatement of the Austrians brings these projects to completion, frequently destroying what remains and fencing off the islands as military property. Others become private and S. Felice is the centre of the first modern saltworks in Italy; notwithstanding the opposition of experts the dyked fishing valleys are flooded.

The Austrian military are still attracted to Cornaro's post-Cambrai scheme to make Venice self-sufficient and they even propose the creation of "polders" with windmills close to the islands to cultivate grain. Austria did not have particularly clear ideas regarding the lagoon the new kingdom of Italy proved no wiser. The Protection Laws seem to reassert the military predominance and no coordinated plans emerge from the urban planners. S. Spirito, totally plundered, and the Lazzaretto Vecchio may become tourist overflows for the Lido, the others are still military property and destined to become ruins and not even romantic ones, due to the rubbish left by trippers.

The pictures that the Crovato brothers have collected in their wanderings are an alarming documentation of their present state. It is no use wringing our hands over "how things used to be" through comparisons with Tironi-Sandi's lively XVIIIth century engravings, full of boats and activity, or with Giacomo Guardi's by now mournful vignettes: we must record and catalogue what remains of these landmarks in the lagoon before they disappear for ever.

TESTI STORICI E IMMAGINI DALLA MOSTRA DEL 1978

HISTORICAL TEXTS AND IMAGES FROM THE 1978 EXHIBITION

Nota: Dove possibile alcuni testi sono stati corretti con riferimento alle edizioni originali.

Note: Where possible these texts have been newly corrected with reference to the original editions.

ISOLA DI SAN SECONDO

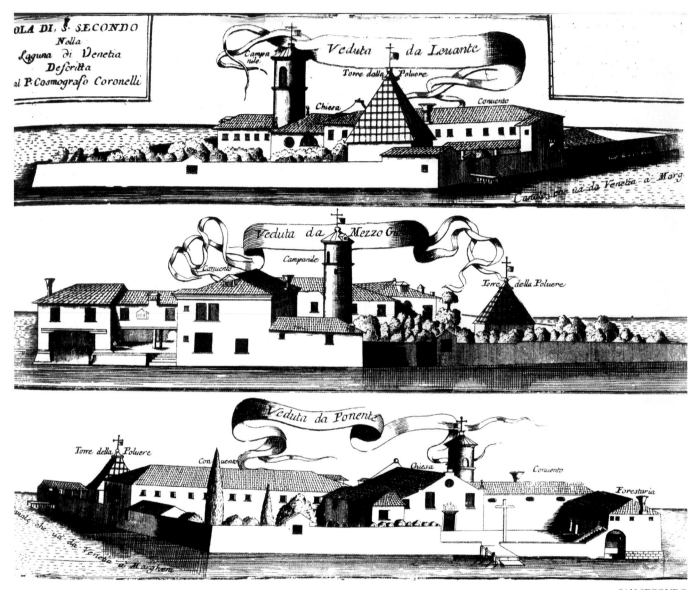

SAN SECONDO

L'isola raffigurata da Levante, Mezzogiorno, Ponente, come si può vedere dall'*Isolario* dell'*Atlante Veneto* del cosmografo Coronelli del 1696. Dalla stampa si può notare il campanile rotondo visibile anche nella pianta di Venezia del 1500, attribuita a Jacopo de Barbari. Tale campanile fu distrutto nel 1534. Sono ben specificati i nomi dei singoli edifici: Foresteria, Convento, Torre della Polvere, Campanile.

Views of the island from the East, South and West, as we see them in the 'cosmographer' Vincenzo Coronelli's Isolario *from his* Atlante Veneto *(1696). Note the round belltower, which is also visible in Jacopo de' Barbari's celebrated Panorama of Venice (1500). The tower was destroyed in 1534. The individual buildings are clearly identified: Guesthouse, Monastery, Powder Magazine, Belltower.*

XVIII. ISOLA DI S. SECONDO.

SAN SECONDO

Stampa dell'isola tratta dall'opera "Isolario Veneziano" di Antonio Visentini eseguita nel 1777. Il nuovo campanile sostituisce quello rotondo, demolito.

Print of the island from Antonio Visentini's Isolario Veneziano, *engraved in 1777. A new belltower has replaced the former circular one, earlier demolished.*

49

SAN SECONDO

Stampa di S. Secondo disegnata da Francesco Tironi ed incisa da Antonio Sandi nel 1779, tratta dalle famose *24 Vedute di isole della laguna*, pubblicate presso l'editore Teodoro Viero. L'isola si mantenne così fino alla demolizione degli edifici del 1824.

Print of S.Secondo engraved by Antonio Sandi from a drawing by Francesco Tironi, taken from the famous 24 Views of the Lagoon Islands *published by Teodoro Viero in 1779. The island retained this aspect until the buildings were demolished in 1824.*

STORIA DI SAN SECONDO ATTRAVERSO LA DESCRIZIONE DI ALCUNI AUTORI
THE HISTORY OF SAN SECONDO ACCORDING TO THE DESCRIPTIONS OF VARIOUS AUTHORS

ERMOLAO PAOLETTI, *"Il Fiore di Venezia"*, VENEZIA, 1837, Vol. I, 206-208.

Di qui rimontando la laguna verso il settentrione, poco lunge dalla città nostra, sul canale che conduce a Mestre, sopra una breve palude stava attaccata ad un palo un'immagine di s. Erasmo vescovo martire invocata da' pescatori ne' pericoli delle procelle. Mossa da devozione l'antica veneziana famiglia Baffo fece ivi costruire una chiesetta ed un ristretto monastero di donne Benedettine sotto l'invocazione di quel santo (an. 1034). Tanta però in que' primi tempi era di quel luogo la povertà che il doge Vital Faliero (an. 1089) mosso a compassione lo largiva di alcune rendite. Nel 1237 secondo alcuni (e molto prima secondo altri) pervenne ad arricchire quest'isola il corpo di s. Secondo confessore, trasportato da Asti. Quindi al titolo primiero di s. Erasmo le venne aggiunto quello di s. Secondo e posteriormente abbandonato il primo, ritenne il nome dell'ultimo e quindi isola di s. Secondo si è sempre chiamata.

Florido stato godette il monastero di s. Secondo; pure la insana condotta di alcune abbadesse il ridusse a gravi distrette a termine del XIII sec.; infine la morale rilassatezza affatto spiegata da coteste monache al declinare del secolo XV e al principio del XVI indusse il senato ad introdurvi una regolare riforma. Se non che, sopravvenuta la guerra di Cambrai, nella quali per otto anni quasi tutti i principi dell'Europa congiurarono a' danni della Repubblica, ne dimise per allora il pensiero. Ma il ripigliava coll'aiuto del patriarca Antonio Contarini, tosto che fu conchiusa la pace. Furono perciò allora aboliti i privilegi concessi alle monache di poter uscire dai chiostri, ed alla resistenza da esse fatta nell'accogliere le salutari discipline, fu riparato col dividere in due parti il convento assegnandosi l'una a 14 monache conventuali, l'altra ad alcune monache osservanti tratte dal convento de' ss. Cosma e Damiano della Giudecca. Tuttavolta anche sì saggio rimedio tornò inefficace, perchè dal malumore o estinte o disperse le benedettine, le osservanti ripassarono al pristino loro ritiro; cosicchè l'autorità abbaziale e l'ordine di san Benedetto nel 1531 dovettero al tutto essere quivi soppressi.

Diede allora il senato l'isola, le fabbriche, e 250 annui ducati, scorporati dagli antichi proventi del monastero, ai padri predicatori. Ma mentre per essi si andavano ristorando le vecchie fabbriche certo prete, lasciato dalle monache in custodia dell'isola, disperato di dover abbandonare un'abitazione dall'abitudine resa a lui sì cara, appiccò il fuoco al tetto del monastero, sicchè, trattane la cappella di s. Secondo, tutto andò in fiamme.

Colle limosine de' fedeli ne risarcì i gravi danni quel fr. Zaccaria da Luni che avea preso il possesso dell'isola a nome de' pp. predicatori, restituendo la chiesa al decoro, ed il convento al conveniente

In the northern part of the lagoon not far from our city, by the canal that leads towards Mestre, there used to be a small area of marsh where an image of St Erasmus, the bishop martyr whom fishermen invoked when storms threatened, had been affixed to a pole. In 1034, the ancient Venetian family of Baffo were inspired by religious piety to order a small church built here, together with a tiny convent for Benedictine nuns dedicated to the saint of the same name. But such was the poverty of the place in those first years that in 1089, the doge Vital Faliero took pity on its inhabitants and bestowed an income upon them. In the year 1237 according to some accounts, or much earlier according to others, the remains of San Secondo the confessor were removed here from Asti, thus considerably enhancing the island's prestige. To the original name of Sant'Erasmo was thus added that of San Secondo, and some time later the first name was abandoned altogether, the island becoming known simply as San Secondo from then on.

The monastery of San Secondo flourished, but by the close of the 13th century, the improper conduct of certain abbesses had brought it into disrepute Finally, by the turn of the 15th century, the moral laxity displayed by the nuns prompted the Senate to introduce reforms. However, no sooner had this process got underway than the war of Cambrai began and for eight years, while almost all the princes of Europe were plotting in league against Venice, no further measures were taken. But as soon as peace was re-established, the reforming task was resumed under the guiding hand of the patriarch Antonio Contarini. Privileges were abolished and the nuns were forbidden to leave their cloisters. When the nuns resisted these disciplinary measures, instituted for their own good, steps were taken to divide the convent in two, with one part assigned to 14 convent nuns and the other to a group of Observant nuns from the convent of Saints Cosma and Damiano on the Giudecca. Even such sagacious remedies proved ineffectual, however, for the strictly observing nuns eventually withdrew back into their seclusion, the Benedictine nuns having in the meantime died or otherwise dispersed, for want of Grace. The abbey authorities and the Benedictine order therefore took steps to suppress the community altogether in 1531.

The Senate then presented the island, together with its buildings and an annual stipend of 250 ducats drawn from the monastery's former income, to the Preaching Friars. But during the restoration of the old buildings for this purpose, a certain priest who had been left in charge of the island by the nuns, distraught

stato di abitazione per trenta religiosi. Però non più che mezzo secolo vi stette tranquilla quella religione, perchè infierendo nel 1576 la peste dovette abbandonare il luogo affine di lasciarlo alla cura degli appestati. Ma, al vederlo sì squallido e diforato nel ritorno che fece al cessare del flagello, deliberò di ritirarsi nel monastero di s. Domenico di Venezia. Oppostosi però il senato, nella miglior forma possibile si misero que' monaci a riattare i danni che la calamità sterminatrice aveva recati. La chiesa fu di nuovo consacrata (an. 1608) e nel 1692 la cappella di s. Secondo, indebolita se non distrutta dall'antico incendio dovette essere rinnovata. Più d'una volta si corruppe la stretta osservanza domenicana tra i religiosi di quest'isola, ma nel 1660 vi fu rimessa e durò fino al 1806 in cui i padri furono riuniti nel monastero di Venezia detto de' Gesuati sulle Zattere.

La chiesa, che al paro del monastero avea ricevute tante ristorazioni però decadde dalla magnifica forma a cui le monache benedettine l'aveano condotta, ne avea di notabile che la tavola dell'altar maggiore del Vivarini sopravanzata alle fiamme. Nella piazza dinanzi alla chiesa restavano coperte due cavane da due grandi stanze o pel ricovero de' passeggeri colpiti da burrasca, o per albergare coloro che la state conducevansi a diporto per la laguna. Oggidì demolita la chiesa e ridotta porzione del monastero ad abitazione privata, l'isola è addetta al militare che vi custodisce la polvere.

at the prospect of leaving a home which he had frequented so assiduously and of which as a consequence he was inordinately fond, set the roof of the monastery on fire, and the whole edifice burnt to the ground, apart from the chapel of San Secondo.

Thanks to contributions by the faithful, the damage was made good by Friar Zaccaria da Luni, who had taken possession of the island in the name of the Preaching Friars, and the church was returned to its glory, while the convent was restored in order comfortably to accommodate thirty members of the order. But the Friars were to enjoy a mere fifty years of peace, for with the outbreak of plague in 1576, they were forced to abandon the island so that plague victims could be looked after there. The scourge having passed, the Friars returned but found their island to be in a state of such squalor and disrepair that they resolved to withdraw to the monastery of San Domenico in Venice. The Senate was opposed to this plan, however, so the Friars did what they could to repair the damage that had followed in the wake of the dread pestilence. The church was re-consecrated in 1608, and in 1692 the chapel of San Secondo, which had been weakened if not destroyed by fire in the previous century, had to be restored. The island members strayed more than once from their strict Dominican vows, but in 1660 the rule was re-invoked and it lasted until the year 1806, when the Friars were absorbed into the Venetian monastery of the Gesuati on the Zattere.

The limited restorations of the church undertaken repeatedly by the Friars had resulted in an edifice that displayed little of the magnificence it had boasted at the time of the Benedictine nuns, the only object of note being an altarpiece by Vivarini which had survived the fire. In the space in front of the church were two large covered boat yards in which storm-blown boat crews could take shelter or summer excursionists in the lagoon could be accommodated. The church is now demolished and part of the monastery has been converted to provide private accommodation, while the island itself has been assigned to the army, and is used to store gunpowder.

LUIGI CARRER, *Isole della laguna e Chioggia, in "Venezia e le sue lagune".*
VENEZIA, 1847, vol. II, 489-490.

Quest'isoletta, distante circa un miglio da Venezia, alla volta di Mestre, fu a principio intitolata a Sant'Erasmo, vescovo di Formio e martire, la cui immagine vedevasi appesa a un palo sopra stante al palude, e invocavasi da' pescatori nelle burrasche. La patrizia famiglia Baffo nel 1034 vi edificò un monastero non molto ampio, e lo dette ad abitazione di monache Benedettine. Vi fu in seguito trasferito il corpo di San Secondo (è dubbio se il martire, o il confessore vescovo d'Asti, tenendo per quest'ultimo l'Ughelli, Italia Sacra, tom. IV). Chi dice, come il Codagli nella storia dell'ordine de' Predicatori, dopo la presa d'Asti fatta nel 1237 sotto il dogado di Jacopo Tiepolo; chi come narra un'antica pergamena (Notizie delle chiese, ec.,

This small island which is about a mile from Venice on the way to Mestre was formerly known as Sant'Erasmo, after the martyred Bishop of Formio. An image of this saint hung on a wooden pole on the marshy land hereabouts and fishermen appealed to it for help during stormy weather. In 1034 the noble family Baffo built a small convent on the island to house a group of Benedictine nuns. Later, the body of San Secondo was translated here (there is some doubt as to whether this was the martyr or the confessor San Secondo, Bishop of Asti; the historian Ughelli believed it to be the latter (Italia Sacra vol. IV). Some sources, such as Codagli in his history of the Predicatori order, state that this happened after

facc. 275), trattonelo di colà, dove già giacevasi sotterra in cassa di piombo da trecent'anni.

Soppresso nel 1534 il convento delle Benedettine, vi subentrarono i padri Domenicani osservanti. La chiesa indi a poco patì di incendio, e parte rovinò, ma fu risarcita. Nelle peste del 1576, l'isola fu assegnata agli infermi. Nel 1608 fu riedificata la chiesa, essendosi i frati a lei ricondotti. Nel 1686 il monastero fu eretto in collegio pei chierici dell'Osservanza, ma non durò questo che tre soli anni. Soppressi a quest'ultimi tempi gli ordini religiosi, l'isoletta fu cangiata in conserva di polveri; ed ora vi si cercherebbero inutilmente gli antichi edifizii.

Poco stante da San Secondo è la torre di San Giuliano, nel qual sito riscotevano i dazi in antico i deputati del comune di Trevigi, mentre quelli che ciò facevano pe' Veneziani risiedevano in un angolo dell'isola di San Secondo. Presso all'anzidetta torre di ignota istituto, del quale si trovano memorie fino dal 1261 in un testamento.

Nulla più resta quindi d'antico al presente.

the seizure of Asti in 1237, during the dogeship of Jacopo Tiepolo; others add that, as recounted in an antique document (Notizie delle chiese, ec., facc. 275), his body was taken from there where it had been buried in a lead coffin for three hundred years.

The Benedictine convent was suppressed in 1534, to be replaced by the Friars Observant of the Dominican Order. Shortly afterwards, fire destroyed part of the church but it was duly restored. During the plague of 1576 the island was given over to plague victims. In 1608 the friars returned and the church was rebuilt. In 1686 the monastery was converted into a college for clerics of the Friars Observant order but this lasted a mere three years. Following the recent suppression of the monastic orders, the island has been used for storing gunpowder and the ancient buildings have all but disappeared.

Not far from San Secondo is the tower of San Giuliano where at one time officers from the comune of Trevigi [Treviso] had their customs house, while the same task was carried out by agents acting on behalf of Venice in a corner of the island of San Secondo. Although it is not known why the tower was built, it is mentioned in a will of 1261.

Today, nothing remains of the ancient buildings.

RICCIOTTI BRATTI, *"Vecchie isole veneziane"*, VENEZIA, 1913, 35-48.

Nei lontanissimi tempi i pescatori veneti si spargevano a gittare le loro reti per tutta l'ampia laguna: laggiù, poco discosto da san Mattia e non molto lungi dall'isola del "Buon Albergo" o Torre di san Giuliano, com'era allora anche detta, una immagine sacra, che se ne stava su un palo uscente dall'acqua, appariva come a proteggere i pescatori stessi quand'erano colti da pericolose bufere. Era l'immagine di sant'Erasmo, in onore del quale dalla patrizia famiglia Baffo era stato eretto il tempio e il monastero di Benedettine nella vicina isoletta, situata lungo il canale che da Venezia conduce a Mestre.

Narrasi che Pietro Tiepolo, figliuolo al doge Jacopo, comandante delle armi della Serenissima in favore di Papa Gregorio IX, contro l'imperatore Federico II, vinto il nemico si impadronisse della città di Asti e la mettesse a sacco. Fu allora che il Tiepolo, acquistato da alcuni astigiani il corpo di san Secondo, che in quella città era venerato, le inviò alla natia Venezia destinandolo alla chiesa di san Geremia. Mentre l'imbarcazione recante il corpo del santo partiva da Mestre per avviarsi alla chiesa di san Geremia giunta nei pressi dell'isola di sant'Erasmo, la violenza della marea e del vento arrivò a tal grado che, per quanta forza facessero i remiganti, fu costretta a sostare nella piccola isola. Placata la tempesta, fu ancora tentato il trasporto, ma il nuovo scatenarsi degli elementi fece convinti i portatori essere volere sopranaturale che i resti di san Secondo dovessero aver sede presso il convento delle Benedettine. Racconta ancora la tradizione come, la presenza della sacra reliquia, un pozzo che nell'isola che da lungo tempo trovavasi asciutto, si riempisse

In the remote past, Veneto fishermen were scattered throughout the lagoon, spreading their nets as far as the waters just off S. Mattia and not far from the island of Buon Albergo or the Tower of San Giuliano as it was also known, where a sacred image affixed to a pole emerging from the water used to appear as if to protect the fishermen when they were surprised by dangerous storms. It was the image of Saint Erasmus, and in order to honour him the noble family Baffo erected a church and Benedictine monastery on the nearby island that is situated to one side of the canal running from Venice to Mestre.

It is recounted that Pietro Tiepolo, the son of Doge Jacopo and commander of the Serenissima troops who were fighting alongside Pope Gregory IX against the Emperor Frederick II, after having vanquished the enemy, took over the city of Asti and sacked it. With the help of some townspeople, this Tiepolo took the body of San Secondo who was venerated in that city, and sent it to Venice, for the church of S. Geremia. As the ship bearing the Saint's remains left Mestre and reached the area near to the island of St Erasmus, the violence of the tide and the wind was such that the strenuous efforts of the oarsmen were in vain and they were forced to take refuge on the tiny island. When the storm had abated, the journey was resumed but the renewed fury of the tempest convinced the bearers that a supernatural force desired the remains of San Secondo to remain in the convent of the Benedictine nuns. Tradition recounts that in the presence of the

tosto di acqua dolce, perfetta e miracolosa così da ridonare la salute a molti infermi che ne bevevano. Il doge e la Signoria, la Nobiltà e il Popolo andarono all'isola per venerare il corpo santo conservatosi dopo un millennio del tutto incorrotto, e per farlo riporre in una nuova cassa di legno tutta lavorata a finissimi intagli. Da quel tempo l'isoletta prese il nome di san Secondo.

Racconta il padre Alessandro Stanziani, in una storia manoscritta dell'isola, conservata presso il museo Correr, che "l'indigenza che il più delle volte sorgente è di molti mali in quelli, che non la sanno prendere con rassegnazione e dalla mano di Dio, nascer fece anche nelle religiose del Monastero di san Secondo una totale rilassazione; a segno che ridotte erano a non aver altro, che dalle secolari le distinguesse, che l'esterior solo abito di Religiose".

Era il principio del secolo XVI, era il tempo, cioè, della Lega di Cambray che impegnava Venezia nella difesa dei suoi possedimenti e della sua libertà contro tutto e contro tutti. Ma non appena finirono le preoccupazioni politiche, il Senato pose mano ai provvedimenti necessari per il buon andamento del monastero di San Secondo. Dopo una serie di riforme e di questioni alle quali le riforme stesse diedero origine, nel 1534 presero possesso i Domenicani Riformati che vi rimasero fino al 1806, anno nel quale, per decreto del 28 novembre, l'isola venne consegnata alla Marina da guerra del Regno d'Italia.

Ma già anche al tempo della Serenissima, il governo si era servito di san Secondo. Quando ai 14 settembre 1569 un terribile incendio rovinò una parte dell'arsenale di Venezia e fu constatato esserne stata causa le polveri colà custodite per munizione di guerra, fu ordinato che in alcune delle isole venisse edificato un Torrione ad uso di polveriera: il primo ad essere eretto fu precisamente quello di san Secondo. E dall'isola stessa, nel 1574, "con spessi radoppiati colpi d'Artiglierie, fra i nembi de fuochi artificiati, et la folta tempesta delle salve d'archebuggi, et moschettoni," veniva salutato Enrico III di Francia, mentre sull'aureo Bucintoro percorreva il canale che da Mestre giunge a Venezia. Stando alla descrizione che ne fa il padre Domenico Codagli nella sua Historia di san Secondo, in principio del secolo XVII, l'isola doveva essere qualche cosa di meraviglioso "e in ogni pericolo di fortuna sicurissimo ricetto a tutti quanti".

La pesca nelle acque circostanti dava prodotti squisitissimi e "le passere, le cape, et ostriche di S.Secondo, come che habbiano all'intorno pascoli grassi e buoni, par che nelle piazze portino il vanto". Che più? I miracoli fatti dal Santo protettore aumentavano la felicità di quell'isola: nel 1583 infatti, mentre Pre Facino, Giovan Alberto della Fortuna ed altri molti se ne stavano laggiù seduti a tavola sotto un pero che, per la stagione non poteva dar frutta, uno dei commensali ebbe a dire che san Secondo avea tale potere da far sul momento uscir dall'albero le pere bell'e mature. Non ebbe fine né meno la frase, che dal "arbore spiccandosi, caderono senz'opra di persona mortale, freschissimi e ben maturi peri, li quali tutti con sommo piacere…"furono naturalmente mangiati: né si poteva ren-

sacred relic, a well of water that had been dry for some time became filled with fresh drinking water that was so pure and miraculous that it restored health to the many sick that drank it. The Doge and the signoria, the nobility and the common people visited the island to venerate the body which was perfectly preserved after one thousand years, and they buried him in a new coffin of finely carved wood. From that time onwards the island was known as San Secondo.

In a manuscript history of the island preserved in the Correr Museum, Father Alessandro Stanziani wrote: "Poverty, which is so often the cause of many ills in those who are unable to submit to it and to accept it as a gift from the hand of God, had the effect on the nuns of the convent of San Secondo of inducing a mood of total laxity; in the end there was nothing to distinguish them from their lay sisters except their exterior nun's habits".

It was the beginning of the sixteenth century, when the League of Cambrai provoked Venice to go to war to defend her territories and her liberty against a host of enemies. But no sooner had her political worries come to an end than the Senate took the necessary steps to impose order in the convent of San Secondo. After a series of reforms had been carried out and the resultant problems resolved, the Reformed Dominicans took possession of the monastery in 1543, and remained there until 1806 when, by a decree of 28 November, the island was consigned to the Navy of the Napoleonic Kingdom of Italy. The government of the Venetian Republic had already made similar use of San Secondo. When on 14 September 1569 a terrible fire destroyed part of the Arsenale in Venice and it was subsequently discovered that a quantity of gunpowder stored there as war munitions had been the cause, the order was given for towers to be built on several islands for use as powder warehouses. The first to be built was the one on San Secondo. And even before that, in 1574, when Henry III of France was conducted on the golden Bucintoro along the canal from Mestre to Venice, San Secondo saluted him, "With repeated double shots of artillery, midst a hail of artificial fire and a dense storm of arquebus volleys and musket fire". According to the description of father Domenico Codagli in his Historia di S. Secondo, the island must have been a splendid place at the beginning of the 17th century, "providing a safe haven to all comers when danger threatened".

The surrounding waters were rich in delicious sea produce and, "Feeding as they do on pastures that are lush and fertile, the flounders, scallops and oysters of San Secondo are renowned amongst their kind". What more could one want? The miracles performed by its protector Saint further increased the happiness of that island: indeed in the year 1583, a certain Pre Facino, Giovan Alberto della Fortuna and several others were there sitting round a table beneath a pear tree which, it being the wrong time of year, bore no fruit, when one of the company began to boast that San Secondo's power was such that he could make ripe pears

dere maggior omaggio alla virtù miracolosa del Santo.

Ma i cenobiti di san Secondo, per il fatto che l'isola sorgeva lungo il canale di navigazione tra Venezia e Mestre, ebbero modo di assistere a spettacoli straordinari, allorchè i rari inverni rigidissimi agghiacciarono i canali e tutta l'ampia laguna veneta. In ogni secolo, si può dire, vi furono freddi eccezionali che, in parte o completamente, gelarono la laguna: nel settecento il fenomeno si ripetè più di una volta, ma il ghiaccio del 1788 pare sia stato uno dei più memorandi. Un cronista del tempo ricorda: "Noi cominciamo l'anno 1789 con il Giaccio, che anzi sempre più si va rasodando e la gente liberamente si porta sopra lo stesso e vanno a Mestre e in Campalto senza spesa di barca. Egli è già un divertimento il mirare la quantità di persone, che va e che ritorna carichi di ogni comestibili senza timore che li Zafi li facciano la visita". Evidentemente anche allora era spiccatissima la tendenza di volerla fare in barba all'Autorità costituita.

Ma meglio del cronista, una lettera di Cherubino Zeli, frate in san Secondo, ha lasciato minuti particolari sulla vita che per alcuni giorni si svolse dinanzi alla verdeggiante isoletta.
La neve cominciò a cadere ai 14 dicembre del 1788 e l'aria si fece così fina e rigida che nella mattina del 21 l'ampio specchio lagunare apparve coperto di ghiaccio. Invano gli arsenalotti, appositamente inviati, tentarono di render libero il canale, chè il freddo cresceva sempre più, così – narra il frate – da render perfin necessario di "tener all'altare una fogara di fuoco" per impedire il congelamento dell'acqua nelle ampolline. Il penultimo giorno dell'anno le prime persone comparvero da Mestre camminando sul ghiaccio fino a san Secondo, e il dì appresso il passaggio da Venezia alla vicina terraferma si iniziò regolarmente con trasporto di pane, di vino, di carni, e di commestibili d'ogni genere. Lo spettacolo era dei più curiosi, e le finestre e le fondamente circostanti alla laguna erano piene zeppe di persone che se ne stavano ore ed ore ad osservare, servendosi anche di lunghi canocchiali, le mille scene che si svolgevano lungo la nuova, straordinaria via. Vi intervennero anche "persone pulite con gran tabarri di scarlatto, o bianchi e con pelizze; e molte graziose signorine in zendaletti co' loro braccianti; ed alcune anche della primaria nobiltà con li loro cavalieri serventi la passeggiavano per diporto, portandosi alcune per spasso fino a Mestre a prender il caffè".

Cominciarono a correr slitte e carretti e carruole: la laguna insomma era trasformata in un "ameno grazioso teatro" poiché accorrevano maschere e venditori di "zaleti" e di frutta, sorgevano baracche di mercanzie e teatri di burattini: i Nicolotti facevano le forze d'Ercole e giocavano la Moresca, mentre buoi, pecore coi loro pastori, maiali e polli d'India traversavano tranquilli la lunga ghiacciata distesa.

Per godere di tutte queste scene e di questi episodi, l'isola di san Secondo, dovea proprio essere, come si esprimeva Fra Cherubino, "un punto di veduta che sorprendeva".

appear on the tree. No sooner had he finished speaking than, "The tree split open and without intervention on the part of any mortal, the freshest and ripest pears fell from it which everybody then tasted with the greatest pleasure… Naturally they were all eaten: no greater homage could be paid to the miraculous power of the Saint".

Because the island was situated along the navigation canal between Venice and Mestre, the cenobites of San Secondo were able to witness many extraordinary events, none more so than during the rare, exceptionally cold winters which froze the canals and the entire huge expanse of the Venetian lagoon. In every century there have been cold winters in which the lagoon froze over either partially or entirely, in the 18th century more than once, but the ice of 1788 seems to have been quite exceptional, making it the most memorable of all these occasions. A chronicler of the time wrote, "We begin the year of 1789 with ice, which indeed is becoming increasingly solid, and people are using it to come and go freely to Mestre or Campalto without incurring the expense of a boat. It is a wonderful sight to see so many people going back and forth, laden with every sort of edible fare, without fear of a visit from the Zafi [customs-officers of the Republic]". Evidently, the impulse to defy the powers-that-be was as strong then as it is now.

But even more effectively than the chronicler, a letter by Cherubino Zeli, a monk of San Secondo, describes for us in minute detail the kind of events that took place for a few days in front of the little green island of San Secondo:
The snow began to fall on 14th December 1788, and the weather was so cold and clear that on the morning of the 21st, the whole lagoon seemed covered in ice. The dockyard workers who had been sent to free the canal from the ice and keep it open struggled in vain, for indeed the cold was such that the ice was growing thicker all the time. So cold was it, recounts the monk, that it was necessary to keep a fire burning on the altar to stop the water in the cruets from freezing. On the second last day of the year, people from Mestre began to appear, walking on the ice as far as San Secondo, and the day after there was a regular flow of traffic from Venice to the mainland, with people transporting bread, wine, meat and every kind of edible good. It was a curious sight, and the windows and the pavements facing the lagoon were crowded with people who stood for hours and hours just watching, using long telescopes to observe the myriad little scenes taking place along the new and extraordinary highway. There were also, "Well turned out persons wearing great scarlet cloaks, or white ones trimmed with fur; and many pretty young girls wrapped in their shawls with their labourer-swains; there were also ladies from the highest ranks of the nobility accompanied by their gallants, walking there for pleasure, some of them going as far as Mestre to take a coffee".

Sledges, carts and wheelbarrows began to appear, until the

Nel 1864 ricomparve il ghiaccio in laguna... ma alle varie scene, che in quell'anno si svolsero sulla laguna gelata, non assistettero più i Domenicani dall'isola abbandonata di San Secondo: dovettero in cambio esserne spettatori i viaggiatori percorrenti il ponte della Strada Ferrata che dagli 11 gennaio 1846 univa Venezia al continente.

whole lagoon was transformed into a "delightfully gay theatre", with masks and sellers of shawls and fruit making their appearance, followed by market stalls and puppet theatres. The Nicolotti competed in games of strength and danced the Moresca [Dance of the Moor], while oxen, sheep with their shepherds, pigs and hens calmly crossed the vast sheet of ice.

As Brother Cherubino noted, the island of San Secondo must have offered, "an extraordinary vantage point," for the enjoyment of incidents and scenes such as these. In 1864 the lagoon froze over again... but the Dominicans were to see no more sights of the type that they witnessed that year on the frozen lagoon from their deserted island of San Secondo. Instead, the only spectators were passengers on the trains crossing the iron road which had joined Venice to the mainland since 11 January 1846.

EUGENIO MIOZZI, *"Venezia nei secoli"*, VENEZIA, 1957, vol. III, 242-243.

È la prima isoletta che si raggiunge venendo in ferrovia a Venezia, di pochi passi discosta dal ponte: è una piccola superficie eppure meritò una paricolare "Historia della Isola e Monasterio di S.Secondo di Venetia scritta da Domenico Codagli". Il Sansovino di essa dice che "fu fatto del 1034, dalla famiglia Baffo, - il monastero di S.Secondo, poco lontano dalla città, dalla parte di Canareio".

Sembrerebbe invece che nei più antichi tempi questo monastero fosse dedicato a S.Erasmo, e che assumesse il nome di S.Secondo solo in un tempo successivo e cioè nel 1200, quando vi fu portato da Asti il corpo di questo Santo.

Residenza delle suore Benedettine, passò nel 1534 ai Domenicani che vi rimasero sino al 1806, anno in cui l'isola venne consegnata alla Marina da guerra del Regno d'Italia Napoleonico; da allora venne ridotta nella situazione di abbandono odierno.

It is the first little island you see as the train approaches Venice, just a short distance away from the bridge. It is diminutive in size and yet an entire "Historia della Isola e Monasterio di S. Secondo di Venetia scritta da Domenico Codagli" was devoted to it. Sansovino writes that, "It was built in 1034 by the Baffo family, the monastery of San Secondo being a little way from Venice on the Cannaregio side".

It would seem instead that in earliest times the monastery was dedicated to Saint Erasmus and that it took the name of San Secondo only later, in 1200, when the remains of this saint were brought here from Asti.

At one time a Benedictine convent, it passed into the hands of the Dominicans in 1534 and remained thus until 1806, the year the island was consigned to the navy of the Napoleonic Kingdom of Italy, since which time it has fallen into its present derelict state.

ALVISE ZORZI, *"Venezia scomparsa"*, VENEZIA, 1971, 409-410.

Il brutto e squallido isolotto di San Secondo, che serba a fianco del ponte della ferrovia, poche tracce, sommerse dalla vegetazione, di un forte diroccato durante i combattimenti del 1848-49, non ne conserva più alcuna della chiesa e del convento che vi sorgevano fin dal Mille, e che, soppressi in forza del decreto del 28 luglio 1806 venivano consegnati per decreto 28 novembre dello stesso anno alle truppe della Marina che demolivano ogni cosa entro il primo ventennio del secolo. Dopo diversi restauri e rifacimenti, la chiesa era stata riedificata ai primi del Seicento e consacrata nel 1608; nel 1692 era stata rinnovata la cappella del santo titolare, che vi riposava sopra "un nobile altare di fini marmi"; l'altar maggiore si adornava di una pala raffigurante il *Redentore con i Santi Giro-*

The ugly and squalid little island of San Secondo which lies to the side of the railway bridge still bears a few traces of a fort, now hidden by thick undergrowth, which was destroyed during the fighting of 1848-49, while nothing remains of the church or convent which had stood there since the eleventh century and, after being suppressed by a decree of 28 July 1806, was consigned that same year by another decree, of 28 November, to the navy which demolished everything within the first twenty years of the nineteenth century. After much restoration and reconstruction, the church had been rebuilt in the early years of the seventeenth century and consecrated in 1608. In 1692 the chapel of its titular saint had been refurbished and contained, "a noble altar of

lamo e Giorgio, assegnata dal Boschini ai Vivarini, ma in realtà, di Giovanni Buonconsiglio detto il Marescalco, presentemente conservata nella chiesa dello Spirito Santo, sulle Zattere. Il corpo del Santo, giunto miracolosamente sulle Lagune, è invece passato nella chiesa dei Gesuati, che apparteneva alla congregazione dei Domenicani Osservanti, proprietari anche dell'isolotto, dove i miracoli dovevano essere frequenti, stando a quanto racconta il P. Coronelli. È lui che ci riferisce anche che i frati avevano due vaste darsene coperte, o "cavane", a disposizione di quanti venissero sorpresi in barca da fortunali o tempeste, oppure come "albergo dilettevole", per "quelle persone, che la State vanno a prendere il fresco per quel canale, e sogliono fermarsi a diporto nell'Isola": cosa difficilmente pensabile oggigiorno, tra lo sferragliare dei treni, il rombo delle automobili e la visione tutt'altro che dilettevole di barene prosciugate, di stabilimenti industriali e dell'informe abitato di Mestre sullo sfondo.

Gli edifici conventuali erano circondati da ortaglie e giardini. La facciata della chiesa (la cui pianta era rettangolare) si affacciava su una piazzetta, dov'era piantata una croce accanto al pontile, e dove si affacciavano anche il fianco dell'ala del convento, riservata ai frati professi, e la foresteria. Una veduta dell'*Isolario* del Tironi fa rivivere la piazzetta con precisione quasi fotografica: vediamo l'alta facciata della chiesa, di linee semplici, coronata da un timpano recante al centro un'apertura in forma di croce; un'iscrizione campeggia nel mezzo della facciata, sopra il portale (è quella che commemorava la dedica all'edificio rifatto, avvenuta, come si è detto, nel 1608). Vediamo anche lo snello campanile, che ben si riconosce, alto sui fabbricati monastici, in altre vedute lagunari, particolarmente in quelle che raffigurano la Laguna gelata del 1788, testimonianze di un curioso episodio della vita veneziana del Settecento.

Anche se le vedute non ce la mostrano, sappiamo che, vicino alla chiesa, sorgeva una bella loggia, eretta nel 1607 a cura di P. Alessandro Malerba, bresciano, vicario del convento; il Malerba aveva fatto fare anche una grata di ferro battuto dorato, molto lodata, nella cappella del Santo. Tutto è scomparso, così com'è scomparsa la cassa duecentesca delle reliquie di San Secondo, adorna di pitture e di sculture dorate, ancora esistente, in parte, nel 1751, nella sala capitolare: dobbiamo contentarci del ricordo che ne serba un disegno del Codice Cicogna 2833, al Civico Museo Correr. Due quadri settecenteschi, che si ispiravano alle singolari circostanze per le quali, nel 1734 e nel 1775, il fulmine, caduto sull'isola, l'aveva risparmiata dalla distruzione benché la repubblica vi conservasse, in una torricella appartata, grossi quantitativi di polvere da sparo, sarebbero passati alla chiesa dei Gesuati al momento della soppressione del convento.

finest marble". The main altar was adorned by a painting depicting the Redeemer with Saints Jerome and George, which Boschini attributed to the Vivarini but which was in reality carried out by Giovanni Buonconsiglio known as il Marescalco, and is now preserved in the church of the Spirito Santo on the Zattere. The remains of the saint, which had been borne miraculously to the lagoon, were taken instead to the Gesuati church which belongs to the congregation of the Dominicans Observant, proprietors of the island where, according to the account of Father Coronelli, miracles must have been a frequent occurrence. It is he who tells us also that the monks had two vast covered boatyards or cavane, at the disposal of sailors who were caught in rough weather or storms, or which could be used as "pleasure inns" for "people who venture out to that canal in the summer to enjoy the cool breezes and want to stop off at the island": it is difficult to imagine this now amidst the rattling trains, the roar of cars and the far from picturesque sight of reclaimed marshland against a backdrop of industrial plants and the shapeless urban mass of Mestre.

The convent buildings were surrounded by gardens and vegetable plots. The façade of the church, which was rectangular in plan, looked out over a small piazza where a cross was fixed in the ground next to the landing stage, up one side of which was a wing of the convent reserved for the professed monks as well as the guest rooms. A view from Tironi's Isolario delineates the piazzetta in almost photographic detail: it shows the tall façade of the church with its simple lines, crowned by a tympanum with an opening in the centre in the form of a cross. The façade bears an inscription above the doorway commemorating the dedication of the building, which was rebuilt in 1608. It also shows the narrow bell-tower standing tall above the monastery buildings, very recognizable also from other views of the lagoon, especially those which bear witness to that curious episode of 18th-century Venetian life: the frozen lagoon of 1788.

Although there is no view that shows it, we know that near the church was a beautiful loggia, built in 1607 by P. Alessandro Malerba, a Brescian by birth and vicar of the convent. Malerba also commissioned a gilded wrought iron grate for the saint's chapel, which was much admired. It has all disappeared, and with it also the 13th-century chest containing the relics of San Secondo, decorated with paintings and gilded sculpture, that was still partly extant in 1751, in the chapter room. We must content ourselves with the memory of it embodied in a drawing from the Codice Cicogna (n.2833) in the Correr Museum. Two 18th-century paintings depict the extraordinary occurrences of 1734 and 1775, in which the island was struck by lightning but no damage was caused despite the fact that the Republic of Venice had stored a large quantity of gunpowder in a tower a little distance away. These paintings were taken to the Gesuati church after the suppression of the convent.

San Secondo come appare vista dall'aereo. La superficie si è notevolmente ridotta. Erosione, moto ondoso e incuria ne compromettono ogni giorno di più la sua esistenza.

San Secondo from the air. The surface area is notably reduced. Erosion, wash from water traffic and neglect even now daily threaten its survival.

Isola di S.Secondo 1929

SAN SECONDO

Dismessa la funzione militare, S. Secondo è stato abitato da famiglie di ortolani-pescatori. L'immagine, che ricorda la gelata eccezionale della laguna del 1929, ritrae alcuni componenti della famiglia Gambirasi mentre camminano sul canale ghiacciato. La fotografia è stata fornita da Renzo Gambirasi.

Vacated by the military, S. Secondo was inhabited by families of farmers and fishermen. The photo records the exceptional freezing over of the lagoon in 1929, showing the family Gambirasi walking on the ice in the canal. The photo was supplied by Renzo Gambirasi.

SAN SECONDO

Scorcio della fortificazione che servì nel 1848 nella difesa della città per l'indipendenza dagli Austriaci.

View of an outpost manned in defence of the city during its struggle for independence from Austria in 1848.

L'ingresso della polveriera.

The entrance to the powder magazine.

SAN SECONDO

Le basi dell'antico casello da polvere come affiorano dalla secca.

The foundations of the old magazine emerge from the shallows at low-tide.

Negli ultimi anni l'isola era abitata da contadini. L'abbandono ha compromesso totalmente gli edifici.

Latterly the island was occupied by peasant farmers. Their departure seriously jeopardizes the remaining buildings.

ISOLA DI SANTO SPIRITO

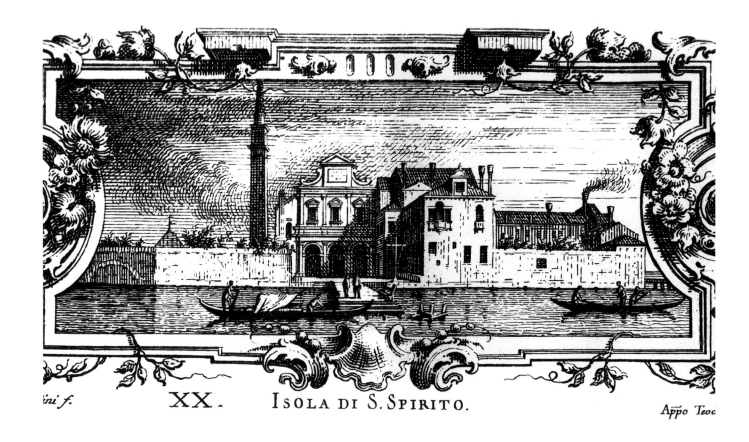

XX. ISOLA DI S. SPIRITO.

SANTO SPIRITO

Stampa dell'Isolario Veneziano di Antonio Visentini del 1777. Al centro la chiesa sansoviniana costruita nel 1505.

Print from Antonio Visentini's Isolario Veneziano *(1777). In the centre the church built by Sansovino in 1505.*

SANTO SPIRITO

Veduta di S. Spirito dalla stampa del Tironi-Sandi del 1779. In questo periodo l'isola era abitata dai monaci Minori Osservanti provenienti dalla perduta Candia.

View of S.Spirito from a Tironi-Sandi print of 1779. At this time the island was inhabited by Minor Observant friars transferred from Crete after its loss to the Turks.

SANTO SPIRITO

Incisione ottocentesca (Chevalier) di S.Spirito, isola militare. Rispetto alle stampe precedenti mancano numerosi edifici. Rimangono in piedi: al centro la chiesa sansoviniana (priva della parte superiore della facciata) a destra il convento, a sinistra il casello da polvere e la casa colonica, visibile tuttora.

19th century engraving (by Chevalier) of S.Spirito as a garrison island. Compared with earlier prints numerous buildings are missing. Still standing are: in the centre, Sansovino's church (lacking the upper part of the facade); on the right, the monastery; on the left, the powder magazine and the farmhouse we still see today.

STORIA DI SANTO SPIRITO ATTRAVERSO LA DESCRIZIONE DI ALCUNI AUTORI
THE HISTORY OF SANTO SPIRITO ACCORDING TO THE DESCRIPTIONS OF VARIOUS AUTHORS

ERMOLAO PAOLETTI, *"Il Fiore di Venezia"*, VENEZIA, 1837, vol.I, 185-187.

Un quarto di miglio dopo s.Clemente trovasi s.Spirito. I canonici regolari, benchè sotto abito diverso, pure uniti sotto la regola di S.Agostino, vari monasteri possedevano nelle venete lagune. Leggesi quindi che circa il 1140 uno ne avessero anche in quest'isola, comunque ci sia ignoto quando tal ordine sia qui stato introdotto. Ma le turbolenze religiose e la corruttela generale dei costumi invasero così nel 1380 il recinto di s.Spirito che, dispersi i religiosi, l'isola restò in solo potere del priore. Nè sofferendo il senato che di un luogo per molti rispetti venerabile si vedessero le rovine, il concedeva (an.1409) ai frati cistercensi della Trinità di Brondolo, dispersi dalla guerra di Chioggia acciocchè rifiorir facessero il divin culto.

Erano passati pochi anni da che cominciarono essi a dimoravi quando nel 1423, apparecchiandosi la repubblica ad insegnare alle nazioni di Europa come debbasi provvedere alla pestilenza, scelse l'isola di s.Maria di Nazaret, volgarmente detta il Lazzaretto vecchio per raccogliere e soccorrere gl'infetti. A questo fine, allontanati gli eremiti che l'abitavano, assegnò loro abbazia di s.Daniele in Monte nella diocesi padovana; ma il pontefice Martino V che assentiva al trasferimento, un anno appresso, concedeva loro altresì il monastero cistercense della Trinità di Brondolo colle case religiose ad esso annesse, di cui principali si riputavano s. Spirito in isola e san Benedetto parrocchia di Venezia. Il monastero di Brondolo fu anzi riconosciuto capo della nuova congregazione piantata a s. Daniele in Monte. Però rovinando ogni dì più ne' suoi edifici, il priore Andrea Bondumiero e gli altri suoi confratelli, d'ordine dell'abate di santa Giustina di Padova, deposero il bianco scapolare de' cistercensi, e vestito il rocchetto di lino e la cappa de' canonici regolari, passarono ad abitare l'isola di s. Spirito (an.1430).

Rimasto priore di s. Spirito, come lo fu di Brondolo, il medesimo Andrea Bondumiero con le saggie sue istituzioni numerosa e ragguardevole fece la nuova comunità. Pur ciò non valse a cansare la perversità di due comprofessi schiavoni, che ribellatisi all'abbracciato ordine, cospirarono alla sua distruzione. E se non erano le fervide istanze del cardinale Condulmiero e le premure del venerabile e santo uomo Lorenzo Giustiniano, Roma avrebbe voluta le dispersioni di que' religiosi. Del resto Andrea Bondulmiero finchè visse adempì lodevolmente ad ogni ufficio e sì bene seppe meritare che il senato (an.1460) lo innalzava al patriarcato di Venezia.

Intanto, perchè gli edifizi dell'isola andavano in molte parti diroccando, si riparò al danno maggiore e precipuamente si ricostruì la chiesa dai fondamenti sul disegno di Jacopo Sansovino, cingendo il suo atrio con ricchi cancelli di ferro ed adornandola con nobili

A quarter of a mile beyond San Clemente lies the island of Santo Spirito. Various monasteries in the Venetian lagoon were in the possession of regular canons who, though wearing different monastic habits, were united under the rule of St Augustine. It is known that around the year 1140, they had a monastery on this island also, although it is not documented when the order first arrived here. By 1380, however, religious unrest and general depravity had so invaded the shores of Santo Spirito that the monks were dispersed and only the prior remained. In order to prevent so venerable a place from falling into ruin, the Senate conceded the island in 1409 to the Cistercian friars of the Trinità di Brondolo who had been unhoused during the war of Chioggia, in the hope that they would once again promote a flourishing of religious observance.

They had only been in possession for only a few years when, in 1423, the Venetian Republic chose the island of S. Maria di Nazaret, known locally as the Lazzaretto Vecchio for gathering together and aiding victims of the plague, setting an example of public health policy to the other European nations. To this end, the hermits who lived there were transferred to the Abbey of S. Daniele in Monte in the diocese of Padua; but a year after having agreed to the transfer, Pope Martin V conceded to them also the Cistercian Abbey of the Trinità di Brondolo with the religious houses annexed to it, of which the most important were considered to be the island of S. Spirito and the parish of S.Benedetto in Venice. Subsequently, the monastery of Brondolo was recognized as having authority over the new congregation forming at S. Daniele in Monte. However, since the buildings at Brondolo had fallen into a state of disrepair, the prior Andrea Bondumiero, along with the other members of the Confraternity depending on the Abbey of Santa Giustina of Padua, came to live on the island of Santo Spirito in the year 1430, setting aside the white scapular of the Cistercians in favour of the linen rochet and the hood of the regular canons.

This same Andrea Bondumiero remained prior of S. Spirito as well as of Brondolo, and under his wise governance the new community grew and attained a stature of some distinction. This did not, however, dissuade two Slav brethren from rebelling against the order of which they were a part and conspiring to destroy it. Had it not been for the fervent pleading of Cardinal Condulmiero and the solicitude of the venerable and sainted Lorenzo Giustiniano, Rome would have ordered the suppression of this monastery. For as long as he lived, Andrea Bondumiero fulfilled his duties in such an exemplary fashion and was in every way so deserving that in 1460 the Senate raised him to the Patriarchate of Venice.

pitture, tutte del felice secolo XVI. Bonifacio vi lavorava una pala rappresentante la Vergine, ed il vecchio Palma le figure di Sansone e di Giona sui portelli dell'organo. Tiziano, nel vigore degli anni e dell'ingegno, vi conduceva il soffitto in tre parti diviso, nell'una delle quali il sagrifizio di Abramo, nell'altra Caino che uccide il fratello; il ringraziamento di Davide nella terza pel trionfo di Golia, senza dire della pala con la discesa dello Spirito Santo ed altre mirabili pitture. Giuseppe Salviati col cenacolo degli Apostoli e con altri dipinti ornava specialmente il refettorio. Così l'isola di s. Spirito era allora divenuta una palestra ove gareggiava l'ingegno de' più nobili artisti.

Sembra però che molto tempo ci volesse innanzi di trarre a compimento quel tempio, perocchè si sa essere stato consacrato non prima del 1505. Ma due secoli erano già trascorsi dalla fondazione de' canonici regolari di s. Spirito, quando un decreto di Alessandro VII, in servigio della guerra per la difesa di Candia, nell'anno 1656 li venne totalmente ad estinguere. Per la qual cosa venduti dal senato tutti i beni di que' canonici e ricavatone un milione di ducati, asportar fece tutte le pitture, i sacri arredi e gli altri preziosi ornamenti nel nuovo tempio della Salute, affidando in pari tempo ai procuratori di supra la sopraintendenza della fabbrica di questo monastero e particolarmente delle foresterie, come quelle che destinavansi ad accogliere gli ambasciatori provenienti da questa parte della laguna, quali erano il nunzio pontificio e l'ambasciatore di Francia.

Impadronitasi però la potenza ottomana di Candia s'impietosì il senato alle preghiere di alcuni monasteri di quel regno presaghi di cadere sotto gli artigli degl' infedeli. Era tra essi anche un convento di frati minori osservanti, i quali seco traducendo le preziose reliquie e le immagini venerande, ebbero ricovero nel vuoto monastero di s. Spirito in isola, a condizione di non aver nè provinciale, nè noviziato, nè oltrepassare il numero di quindici: numero che in progresso, per una tacita connivenza, di molto si accrebbe.

Così vi stettero eglino finchè a poco a poco, scemando di numero, furono concentrati nel monastero di s. Giobbe (an. 1806), non rimanendo che un custode per celebrarvi la messa. Nell'abolizione generale delle corporazioni ecclesiastiche l'isola ed i suoi edifizi, consegnati alle truppe della marina, servirono e servono tuttavia di conserva alla polvere. Atterrata rimase nondimeno quell'ala di edificio destinata a rinchiudere i prigionieri dello stato, pei quali non si arrese il senato a ridurre s. Spirito in un lazzaretto come per ben due volte era stato proposto. Forse che qui non fu turbata la pace dei sepolcri; forse che posano ancora le ossa di Filippo Paruta ricordato da una lapide; quelle del procuratore Tron e di Antonio Valiero raccolte in sontuosi monumenti.

In the meantime, since many of the island's buildings were falling into disrepair, work was carried out on the worst affected areas and the church was rebuilt from its foundations to the design of Jacopo Sansovino. The atrium was enclosed by ornate iron gates and the interior decorated with paintings from that most felicitous era of Venetian art - the 16th century. Bonifacio painted an altarpiece of the Virgin, and Jacopo Palma the Elder depicted Samson and Jonah on the organ shutters. Titian, at the height of his powers, painted the ceiling which was divided into three parts: on one was a Sacrifice of Abraham, on another Cain killing his brother, while the third showed David giving thanks for his victory over Goliath. He also painted an altarpiece with the descent of the Holy Spirit as well as other excellent works. The refectory was decorated by Giuseppe Salviati with a Last Supper. The island of S. Spirito thus became something of a museum in which the talents of the greatest artistic geniuses of the age competed with each other.

It would appear, however, that the church was not completed for many years, since we know it was only consecrated after 1505. But two centuries had already passed since the foundation of the regular canons of S. Spirito when a decree of 1656, imposed by Alexander VII in the interests of the war in defence of Candia, brought about their extinction. The Senate sold all the possessions of the canons for a million ducats, and removed all the paintings, the church ornaments and vestments and the other valuable fittings to the new church of Santa Maria della Salute, at the same time entrusting to the procurators the care and maintenance of the monastery buildings and especially of the guest houses used to accommodate ambassadorial parties approaching Venice from this part of the lagoon, such as the Papal Nuncio and the French ambassador.

The Ottoman powers having taken Crete, the Senate gave in to the pleas of certain monasteries of that kingdom which feared falling under the talons of the infidels. Among them was a convent of minor Observant friars who, bringing with them their precious relics and venerable images, were given shelter in the empty monastery on the island of S. Spirito on the condition that they would have neither a Father Provincial, nor a Novitiate, nor surpass fifteen in number. As time went on, this number was, by tacit connivance, greatly exceeded.

Thus the monks remained until, their numbers then gradually decreasing, they were moved to the monastery of San Giobbe (1806) and only a custodian remained on the island to celebrate Mass. In the general dissolution of ecclesiastical foundations the island and its buildings were ceded to the Navy for the storage of gunpowder, and continue to be used for this purpose. However, the wing of the building destined for the imprisoning of state prisoners had been long demolished, and the Senate never succumbed to transforming S. Spirito into a Lazaret, as was twice proposed. We may hope that the burial places remain undisturbed; that the tombstone commemorating the bones of Filippo Paruta rests there still, likewise the remains of the procurator Tron and of Antonio Valiero gathered beneath their splendid monuments.

LUIGI CARRER, Isole della laguna e Chioggia, in *"Venezia e le sue lagune"*, VENEZIA, 1847, vol. II, 490 - 491.

Ha passi settecento di circuito. Le prime certe memorie sono del 1140, dalle quali sappiamo che vi si trovava un ospedale, una chiesa e un monastero di canonici Regolari, differenti nell'abito, ma nella sostanza Agostiniani. Nel 1380 l'isola fu unita alla badia di S. Michele di Brondolo in Chioggia, e data in guardia a un solo priore. Perendone, fu dal senato nel 1409 conceduta ai Cistercensi della Trinità di Brondolo; poi nel 1424, tornati questi, per domanda di papa Martino V, a Brondolo, vi vennero di Padova Andrea Bondulmiero e parecchi suoi confratelli Eremitani, deposto il bianco scapolare e assunto il rocchetto di lino e la canapa, secondo usavano i canonici Regolari. Soppresso quest'ordine nel 1656 per decreto di papa Alessandro VII, i dipinti che vi aveano nella chiesa, construtta da Jacopo Sansovino e bellamente circondata da cancelli di ferro (dipinti del Bonifacio, del Palma il vecchio, di Tiziano e del Salviati), furono trasferiti a Venezia ad ornare il tempio di fresco eretto di Santa Maria della Salute. Dopo l'infelice guerra di Candia, ch'è a dire nel 1672, vi trovarono rifugio i frati minori Osservanti che in quella aveano un convento, e portaronvi, avanzo della rapina musulmana, le preziose reliquie della lor chiesa, e un'immagine preziosissima e veneratissima della Vergine. Scemati col volger degli anni di numero, i pochi rimasti ritrasersi nel monastero di San Giobbe in Venezia, lasciato nell'isola un solo di loro a custode, e a celebravi la messa.

Estinti nel 1806 gli ordini tutti regolari, l'isola fu data ai soldati della marina, e degli edifizii convertiti in conserva di polveri per l'armi da fuoco, al qual uso servono tuttavia.

It has a circumference of seven hundred paces. The earliest records date from 1140, and relate to a hospital, a church and a monastery of regular canons who wore a different habit but were to all intents and purposes Augustinians. In 1380 the island was united with the abbey of S. Michele di Brondolo of Chioggia, and left in the hands of a sole prior. On his death, the Senate ceded it in 1409 to the Cistercians of the Trinità di Brondolo. Then, in 1424, when the latter had returned to Brondolo at the request of Pope Martin V, their place was taken by Andrea Bondulmiero and several of his hermit confraternity from Padua who, upon arrival left off wearing the white cowl and adopted instead the linen and hemp rochet which was the garb of the Regular Canons. On the suppression of this order in 1656 by decree of Pope Alexander VII, the paintings which were in the church (built by Jacopo Sansovino and enclosed by ornate iron gates), including works by Bonifacio, Palma the Elder, Titian and Salviati, were removed and taken to Venice to adorn the newly built church of Santa Maria della Salute. After the disastrous war of Crete, in 1672, the Minor Observant friars who had had a monastery there were given refuge on the island of S. Spirito, bringing with them, to save them from the Muslim onslaught, the precious relics of their church, including a very valuable and venerated image of the Virgin. As the years passed and their numbers fell, the few remaining monks went to live in the monastery of San Giobbe in Venice, leaving the island to a custodian who had the task of celebrating Mass.

With the suppression in 1806 of all the regular monastic orders, the island was handed over to the Navy and the buildings converted into storehouses for gunpowder, to which use they are still put.

POMPEO MOLMENTI e DINO MANTOVANI, *"Le isole della laguna veneta"*, VENEZIA, 1895, 52 -53.

Tutto fluisce via, tutto si disperde: basta un po' di tempo, qualche misero secolo, per cancellare tanta vita umana! Qui tutt'intorno ferveva un tempo l'opera della vita, s'innalzavano edifici, s'agitavano interessi e passioni. Adesso che cosa resta della bella isola di Santo Spirito, a un quarto di miglio da San Clemente? Anch'essa era stata scelta, fin dal 1140 per soggiorno di monaci: prima degli Agostiniani; poi, nel 1409 de' Cistercensi; e nel 1424 fu ridata agli Agostiniani, della cui congregazione era priore quell'Andrea Bondulmiero, che poscia fu eletto patriarca di Venezia. Innanzi agli splendori del patriarcato egli ebbe cara la sua cella di Santo Spirito: una magnifica cella in verità, che i monaci andarono sempre più abbellendo, tanto da farne un piccolo santuario, non pure della religione, sì anche dell'arte.

Jacopo Sansovino eresse la nobile chiesa; Bonifacio Veneziano vi dipingeva la pala della Vergine; Palma il vecchio, artefice grandis-

Everything flows away, everything is lost: a little time is all it takes, a few miserable centuries, to cancel so much human life! Here at one time life bustled apace, buildings were erected, enthusiasm and passions were aroused. And now what is left of the beautiful island of S. Spirito, a quarter of a mile from San Clemente? From the year 1140, it had, like other islands, been the chosen home of monks, first Augustinians, then from 1409, Cistercians. In 1424 it was returned to the Augustinians, under the priorship of Andrea Bondulmiero, later to be elected Patriarch of Venice. Before acceding to the magnificence of such a title, he was fond of his monastic retreat on Santo Spirito, in reality a splendid abode which the monks continued to embellish so that it became a small sanctuary not just of religion, but of art also.

Jacopo Sansovino designed the noble church; Bonifacio Veneziano painted the altarpiece of the Virgin; Palma the Elder, a great artist who was considered in some respects, especially in

simo e in certi pregi, specie in quello del disegno, stimato superiore a Tiziano, vi istoriava i portelli dell'organo; Tiziano stesso vi dipingeva un'altra pala e il soffitto tripartito; Giuseppe Salviati figurava il *Cenacolo degli Apostoli* nel soffitto del refettorio. E statue e candelabri e intagli de' migliori artefici della Rinascenza venivano ad arricchire il cenobio solitario: se tutto vi fosse stato conservato intatto, quest'isoletta perduta in mezzo alla laguna sarebbe un piccolo museo della grande arte veneziana.

Ma, nel 1656, quei monaci furono soppressi, e i loro tesori trasporti a Venezia nel tempio di Santa Maria della Salute. L'isoletta rimase spogliata e deserta, finchè nel 1672, il Senato la concesse per asilo ai Minori Osservanti, profughi da Candia venuta in dominio del Turco, ed essi vi si trasferirono portando seco reliquie e immagini orientali. Poi la solita storia. Il decreto napoleonico del 1806 sgombera dall'isola i frati, e i loro vecchi edifizi, occupati dalla truppe di marina, divengono e sono tuttora depositi di polvere da cannone.

drawing, to be superior even to Titian, painted narrative scenes on the organ shutters. Titian himself painted another altarpiece as well as a ceiling decoration in three parts. The ceiling of the refectory was embellished by a Last Supper of the Apostles by Giuseppe Salviati. Statues, chandeliers and inlaid work by the best craftsmen of the period enriched the solitary monastery: if everything had been preserved intact, this little island lost in the middle of the lagoon would now be a museum in miniature of the great art of Venice.

However, in 1656 the order was suppressed and its treasures transported to Venice to the church of Santa Maria della Salute. The little island remained denuded and deserted, until in 1672 , the Senate conceded of asylum to a group of Minor Observant monks, refugees from Crete which had been invaded by the Turks, and they took refuge there, bringing with them their oriental relics and images. The remainder of the story we know: the Napoleonic decree of 1806 emptied the island of monks, and their ancient buildings were occupied by the navy, becoming, and remaining to this day, warehouses for the storage of gunpowder.

FELICIANO BIANCHI, *"Le isole di Venezia"*, VENEZIA, 1938, 19 -21.

Non lontana da Poveglia è l'isola di Santo Spirito della quale si hanno ricordi dal 1140. Aveva una bella chiesa del Sansovino con tele pregiate di Palma il Vecchio, del Tiziano, del Salviati, tele che poi vennero trasportate alla chiesa della Salute. Vi fu un monastero che accolse Agostiniani, Cistercensi, Eremitani. Soppressi nel 1810 gli ordini religiosi, l'isola venne abbandonata all'incuria degli uomini ed al silenzio della natura. Ora che Venezia estende i suoi parchi e giardini, ora che il lido dovrà gradatamente trasformarsi in un grande parco di piante nobili, l'isola di Santo Spirito potrebbe venire destinata a vivaio di piante ornamentali e floreali creando così in essa una attrattiva nuova pel visitatore, farne una delle tante mete pel forestiero desideroso di lasciare per qualche ora la vita cerimoniosa dei grandi alberghi per recarsi a provare in tutta solitudine quelle dolci melanconie ed alte inspirazione che ridestano nell'animo armonie d'eterna bellezza.

Not far from Poveglia is the island of Santo Spirito, the known history of which goes back to the year 1140. It once boasted a beautiful church by Sansovino with precious canvases by Palma il Vecchio, Titian and Salviati, canvases which were subsequently removed to the church of the Salute. There was formerly a monastery here which housed first Augustinians, then Cistercians and finally hermit monks. After the suppression of religious orders in 1810, the island was left to itself and the silence of nature. Now that Venice is extending her gardens and parkland, and the Lido is destined to be transformed into a great park of noble trees, the island of Santo Spirito might become a nursery for ornamental and flowering plants, creating a new attraction for the visitor, and another destination for the foreigner who wishes to leave the formal life of the great hotels for a few hours to feel for himself in solitude that sweet melancholy and lofty inspiration that is aroused in the soul by harmonies of eternal beauty.

EUGENIO MIOZZI, *"Venezia nei secoli"*, VENEZIA, 1957, vol. III, 241.

Non lontana è l'isola di S.Spirito della quale si hanno ricordi che risalgono al 1440. Aveva una bella chiesa del Sansovino con tele pregiate di Palma il Vecchio, del Tiziano, del Salviati, tele che poi vennero trasportate alle chiesa della Salute. Vi fu un monastero che accolse Agostiniani, Cistercensi, Eremitani.

Soppressi nel 1806 gli ordini religiosi, l'isola venne abbandonata all'incuria degli uomini ed al silenzio della natura.

Not far from here is the island of Santo Spirito, the first records for which date from 1140. It had a beautiful church by Sansovino containing works by Palma il Vecchio, Titian and Salviati, which were later transferred to the church of the Salute. The monastery was once home to Augustinians, Cistercians and hermit monks.

After the suppression of religious orders in 1806, the island was abandoned to the neglect of men and to the silence of nature.

ALVISE ZORZI, *"Venezia scomparsa"*, VENEZIA, 1971, 411 - 412.

La chiesa di Santo Spirito in Isola andava famosa, un tempo, per un ciclo di pitture di Tiziano, che soppressa nel 1656 la congregazione di canonici regolari che abitava il convento, fu trasferito in blocco nella sacrestia della chiesa della Salute, dov'è ancora: la pala di *San Marco in trono e tre santi*, che era sull'altare maggiore, i tre quadroni del soffitto (*Caino e Abele, David e Golia, Sacrificio di Abramo*) e i tondi con i *Quattro Evangelisti e i Padri della Chiesa*.

Non erano però scomparsi i chiostri e i vasti giardini tanto lodati nel Cinquecento, né la chiesa, costruita da Jacopo Sansovino, o almeno da lui condotta a termine, e ricca di sei altari, due dei quali erano già stati consacrati nel 1505 mentre gli altri quattro lo erano stati nel 1581.

Rimanevano anche, stando alle guide settecentesche, le sculture di Giovanni Maria Mosca da Padova che ornavano l'altar maggiore ed il fonte battesimale e, cimelio più raro, il presepio di terracotta colorata "a mezzo rilievo", che veniva attribuito a Nicolò dell'Arca. Quanto alle pitture, i Frati Minori provenienti da Candia, che avevano occupato il convento dopo la caduta dell'isola di Creta in mano ai Turchi, ne avevano portate molte con sé, e tutt'altro che spregevoli, stando alla descrizione del Boschini: una pala dell'altar maggiore delle stesse dimensioni di quella di Tiziano, ma "nello stile di Giambellino", raffigurante la *Madonna in trono* "fra decorose Architetture", con i *Santi Giovanni Battista, Pietro, Lodovico, Buonaventura, Francesco, Bernardino, Paolo e Giovanni Evangelista*; un quadro su tavola nei modi di Jacopo Palma il Vecchio, con *Sant'Antonio da Padova e le Sante Apollonia e Maria Maddalena* "con Paese e Architetture"; un'opera, giudicata vicina alla maniera dei Vivarini, raffigurante *San Giorgio con ai lati i Santi Giovanni Evangelista e Francesco*, anche questa "con Paese e Architettura". Alle pareti della cappella maggiore, i frati avevano disposto due tele, ritenute dal Boschini di maniera di Bonifacio de' Pitati, ma delle quali altri scriveva: "tengono tutte più del Greco che d'altro". Dove non si capiva se si alluda al pittore Domenico Theotokopoulos detto il Greco e non si accenni genericamente ad uno stile di tipo greco.

Dalla ultime vicende della chiesa (dov'era, al centro della navata, la lapide sepolcrale del patriarca di Venezia Andrea Bondulmier, fondatore, nel 1423, della congregazione dei Canonici Regolari di Santo Spirito) tacciono gli archivi da noi consultati, forse perché al ritorno dei Francesi, nel 1806, passò subito in mano ai militari, per dar luogo ad uno dei tanti fortini lagunari, oggi anch'essi abbandonati. Ignoro la sorte dei quadri. Rimane il corpo centrale della chiesa con qualche interessante fregio marmoreo, e rimaneva fino a poco fa una bella vera da pozzo scolpita del primo Cinquecento, trafugata nel settembre 1970 nonostante l'ingente mole.

The church of Santo Spirito in isola was once famous for its cycle of paintings by Titian which, after the suppression in 1656 of the congregation of regular canons that once occupied the monastery, were transferred en masse to the sacristy of the church of Santa Maria della Salute, where they still are: they include the altarpiece of St Mark enthroned and three saints, *which was on the main altar, three ceiling panels* (Cain and Abel, David and Goliath, the sacrifice of Abraham) *and the tondos with the* Four Evangelists and the Church Fathers.

The cloisters and vast gardens which had drawn so much praise in the sixteenth century did not disappear, however, nor did the church which had been designed by Jacopo Sansovino, or was at least completed by him, and embellished with six altars, two of which had already been consecrated in 1505 while the other four were consecrated in 1581.

According to eighteenth-century guidebooks, the sculptures of Giovanni Maria Mosca da Padova which had adorned the main altar and the baptismal font also remained, and in addition there was an even rarer relic, in the form of a terracotta nativity, "in half-relief", attributed to Nicolò dell'Arca. As for the paintings, the Minor Friars who had come from Candia to live on the island after Crete had fallen into the hands of the Turks, brought numerous works with them, many of which, according to the description given by Boschini, were not without considerable merit: they included an altarpiece for the main altar of the same size as that of Titian, but "in the style of Giambellino" [Giovanni Bellini], depicting the Madonna enthroned *"in an elegant architectural setting", between* Saints John the Baptist, Peter, Lodovico, Bonaventura, Francis, Bernardino, Paul and John the Evangelist; *and a panel painting in the style of Jacopo Palma il Vecchio, with* Saint Anthony of Padua and Saints Apollonia and Mary Magdalene *"with a town and architecture". On the walls of the main chapel the friars had hung two canvases, considered by Boschini to be in the manner of Bonifacio dé Pitati, but of which others wrote: "they smack more of the Greek than of anything else". From which description it is difficult to ascertain whether the reference is to the painter Domenico Theotokopoulos known as El Greco, or is a generic allusion to a Greek style.*

In the central nave of the church was the tombstone of the Patriarch of Venice Andrea Bondulmier, who in 1423 had founded the congregation of the Regular Canons of Santo Spirito. Of the church's final days the archives consulted by the present author give no clue, perhaps because, with the return of the French in 1806, it passed immediately into the hands of the military and became one of many small lagoon forts, only to be later abandoned. Of the fate of the paintings I know nothing. The central body of the church still stands, with some interesting marble friezes, and until recently there was a magnificent early sixteenth-century sculpted well-head, stolen, notwithstanding its great weight, in September 1970.

SANTO SPIRITO

S. Spirito vista dall'aereo. Venne abbandonata nell'ultimo decennio. Nel 1968 si prevedeva il passaggio dal Demanio al Comune di Venezia per 45 milioni di lire.

S. Spirito from the air. It was abandoned in the 1970s. In 1968 the island was supposed to be acquired by the city from the military for 45 million lire.

SANTO SPIRITO

Difficile si presenta l'approdo a S. Spirito. Il pontile è pressoché impraticabile.

Mooring at S.Spirito is problematic. The jetty is practically unusable.

SANTO SPIRITO

L'edificio meglio conservato è questa casa di tipo colonico. Tutte le opere d'arte di S. Spirito furono trasferite per ordine del Senato nel 1656 alla chiesa della Salute allora in costruzione.

The best preserved building is the farmhouse of the casa colonica type. All the artworks from S.Spirito were transferred in 1656 by order of the Senate to the church of the Salute, then under construction.

SANTO SPIRITO

Il 24 settembre 1970 sparisce misteriosamente la bella vera da pozzo rinascimentale raffigurante S. Michele Arcangelo. I furti sono frequenti nelle isole abbandonate.

On September 24th, 1970, the handsome renaissance well-head mysteriously disappeared. Such thefts are all too common on the abandoned islands.

SANTO SPIRITO

L'interno della ex chiesa. La cronaca di questi ultimi anni è caratterizzata da una capillare indisturbata spoliazione. Recentemente sono state scalpellate dal muro le patere in marmo con i motivi della Via Crucis.
S. Spirito era ricca di dipinti del Tiziano, Palma il vecchio e Giuseppe Salviati.

Interior of the ex-church. Its story over recent decades has been one of unchecked wholesale looting. In the 1970s the marble patere (circular reliefs) depicting the Stations of the Cross were prised from the walls.
S. Spirito once housed splendid paintings by Titian, Palma the Elder and Giuseppe Salviati.

SANTO SPIRITO

Da una foto di alcuni anni fa, mentre l'opera di saccheggio è in atto. Cominciano a mancare mensole e tavolati. Queste stupende travi decorate poste sull'ex convento oggi non esistono più.

A shot from the early seventies when the looting was rife. Panelling and floorboards are beginning to disappear. The wonderful decorated beams spanning the ex-monastery are no longer to be found today.

79

SANTO SPIRITO

Prospettiva delle mura affioranti dalla secca. In buone condizioni ne circondano tutta l'isola.

A view of the boundary wall emerging from the shallows.

SANTO SPIRITO

Parte di quel che rimane del muro.

A section of perimeter wall.

ISOLA DI SAN GIORGIO IN ALGA

Isola di S. Giorgio in Alga nella Laguna di Venetia

Dedicata
Al M.R.Padre Baldassara Stryker
Consigliere di S. M.C.^a già Prouinciale
de Min.

S. GIORGIO IN ALGA

Due vedute tratte dall'*Isolario* del cosmografo Coronelli del 1696. Le prime notizie di quest'isola risalgono all'XI secolo, dove le monache benedettine vi abitavano.

Two views from Coronelli's Isolario (1696). The earliest records of the island go back to the XIth century, when a community of Benedictine nuns lived here.

VIII. ISOLA DI S. GIORGIO IN ALGA.

S. GIORGIO IN ALGA

Stampa dell'isola tratta dal *"Isolario Veneziano"* di Antonio Visentin 1777.

An engraving of the island from Antonio Visentini's "Isolario Veneziano" *(1777).*

S. GIORGIO IN ALGA

Interessante incisione del Lazzari della prima metà dell'800. Il campanile di S.Giorgio in Alga sta per essere smantellato e con esso la chiesa posta a fianco.

Interesting Lazzari engraving from the first half of the nineteenth century. The belltower of S.Giorgio in Alga will soon be dismantled, together with the adjacent church.

S. GIORGIO IN ALGA

Dall'incisione "fotografica" del Tirone-Sandi del 1779. Nel 1716 un incendio distrugge parzialmente la chiesa e il monastero e totalmente la famosa biblioteca. Vanno perduti celebri quadri del Vivarini, del Bellini e del Veronese.

From the almost "photographic" Tironi-Sandi engraving of 1779. In 1716 a fire had severely damaged the church and monastery, and completely destroyed the famous library. Important paintings by Vivarini, Bellini and Veronese were lost.

STORIA DI SAN GIORGIO IN ALGA ATTRAVERSO LA DESCRIZIONE DI ALCUNI AUTORI
THE HISTORY OF SAN GIORGIO IN ALGA ACCORDING TO THE DESCRIPTIONS OF VARIOUS AUTHORS

ERMOLAO PAOLETTI, *"Il Fiore di Venezia"*, VENEZIA, 1837, vol. I, 208 - 210.

Di qui è d'uopo staccarci e condurci ad opposta parte inverso levante, ove troveremo due miglia da Venezia, ed altrettante da Fusina l'isoletta di S.Giorgio in Alga, dall'alga marina che in molta copia ivi intorno esisteva, e dal monastero di benedettini con una chiesa dedicata a s. Giorgio, quivi fondato dalla famiglia Gatilesa nel secolo XI. Partiti dall'isola i benedettini s'introdussero gl'eremiti agostiniani sotto la guida di certo Lorenzo spagnolo donde ebbe origine (an.1350) la congregazione detta del b. Lorenzo in Alga di Venezia. Ma sebbene tre anni appresso, desideroso quel pio di maggior ritiro, si portasse sulla riviera occidentale di Genova, e fabbricate alcune cellette, stabilisse colà altra congregazione che a lui piacque denominare in Alga di Venezia, ciò non di manco la congregazione degli eremiti agostiniani sino al declinare del secolo XIV si mantenne in quest'isola. Ridottasi però allora al solo priore, il pontefice Bonifacio IX convertì il luogo in commenda e lo die' a Lodovico Barbo patrizio veneto che ne divenne il primo priore.

Frattanto due pietosissimi giovani patrizi (Antonio Corraro e Gabriele Condulmiero) divinamente accesi piantarono con altri seguaci una piccola congregazione in san Nicolò del Lido nel mentre che per le guerre de' Genovesi era lasciato vuoto da' monaci dovendo sgombararlo, l'anzidetto Lodovico Barbo esibì, e per essi fu accolto, il convento di S.Giorgio in Alga. Sì caro e spirituale riusciva il conversare di quelli eletti giovani, che il b. Lorenzo Giustiniani preso alle dolcezze loro volle quivi dedicarsi al divino servigio, e poco appresso, colla sanzione di Bonifacio papa IX, istituire una nuova congregazione di canonici secolari, alla quale Gregorio XII diede poscia facoltà di vestire l'abito violaceo. Divenuto anzi il b. Lorenzo priore della congregazione medesima, in luogo del Barbo passato a S. Giustina di Padova, seppe dilatarla unendole altri monasteri ai quali in progresso altri molti gliene furono aggiunti eziandio.

Però, come ogni terrena cosa, si rattiepidì il fervore in quei religiosi. Il perché S. Pio V tentò legarli coi voti da cui prima erano sciolti; ma fu invano, perrochè così allontanaronsi dalle regole onde furono fondati che Clemente IX stimò di (an.1668) annullare perpetuamente quella società applicandone i beni sacri e profani in sussidio dell'aspra guerra di Candia.

Nondimeno, acciocché il sacro luogo non rovinasse per l'abbandono, le concesse il senato all'ordine de'minimi di S.Francesco di Paola per la somma di 15,000 ducati. Ma per la mancanza di esterni sussidi dovettero pur essi abbandonarlo ben presto, sottentrandovi i religiosi carmelitani della riforma di S.Teresa, detti gli scalzi (an.1690), i quali tosto rivolsero l'orrenda deformità, ingenerata

If we now turn in the opposite direction, towards the east, two miles from Venice and about the same distance from Fusina, we come upon the little island of S. Giorgio in Alga, which takes its name from the large quantities of seaweed that abounded here and from the Benedictine monastery with its church dedicated to St George, founded by the Gatilesa family in the 11th century. After the Benedictines left the island, the Hermits of St Augustine arrived under the leadership of a Spaniard named Lorenzo, and it was he who gave rise to the congregation known as The Blessed Lorenzo in Alga of Venice, founded in 1350. But just three years later, desirous of still greater solitude, the pious Lorenzo left for the western coast by Genoa, where he built some cells and established another congregation which he named Alga di Venezia, despite the fact that the Hermits of St Augustine remained on the island until the end of the fourteenth century. But by this date their numbers had so dwindled that only the prior remained, so Pope Bonficace IX entrusted the monastery in commendam to Lodovico Barbo, a Venetian noble, who became its first prior

In the meantime, two pious noblemen, Antonio Corraro and Gabriele Condulmiero, were moved by divine inspiration to found, together with a group of followers, a small congregation at S. Nicolò on the Lido. The war against Genoa having forced the monks to flee the monastery of S. Giorgio in Alba, the aforementioned Lodovico Barbo offered the new order sanctuary there, which they accepted. The conversation of this elect group of young men was of such elevated spirituality and so beloved of the blessed Lorenzo Giustiniani that he, being quite won over by their gentle ways, decided to dedicate himself to divine service. Shortly afterwards, with the sanction of Pope Boniface IX, he instituted a new congregation of secular canons, upon which Pope Gregory XII in time conferred the right to wear the purple habit. After the blessed Lorenzo had become prior of the same congregation in the place of Barbo, who had transferred to S. Giustina in Padua, he enlarged the monastery by uniting it with others, and as time went on still more were added.

However, as is the way with all earthly things, the initial fervour of those religious men weakened, prompting an attempt by Saint Pius V to bind them with vows from which they had previously been exempt. But his efforts were in vain, for they had strayed so far from the rule of their founders that Clement IX decided to abolish the Order in perpetuity, using the proceeds of the sale of its assets, both sacred and profane, to finance the bitter war for Crete.

dall'abbandono, in una modesta ma vaga abitazione religiosa. Se non che fu forza ne replicassero le spese a cagione di un incendio il quale consunse la chiesa e gran parte del monastero (an.1716). Anche in quella seconda volta per le cure loro assai belli si resero gli edifici, sebbene nel 1806 abbiamo dovuto lasciarli onde concentrasi nel convento degli Scalzi di Venezia.

La chiesa, che cadente per vetustà riattossi ed ampliassi tra il 1428 ed il 1458 in uno al monastero, decoravasi di peregrine pitture del Vivarini, dei Bellini, dei Paoli, ma arse dall'incendio accennato, rimase solo lieta di alcune non ispregievoli pitture moderne. Ora demolita la chiesa e gli adiacenti edifici, tranne che una polveriera al modo delle altre isole da noi descritte, ogni cosa andò distrutta. Non però infrequente era il ricorso a questa isola negli andati tempi; qui accoglievasi gli ambasciatori provenienti da questa parte della laguna, quali sarebbero p.e. l'Imperiale, lo Spagnolo, ec.; qui il doge Renier incontrò pio VI allorché tornava da Vienna (an.1782), ma qui altre memorie storiche non ci sarebbe dato di rinvenire.

In order to prevent the sacred site from falling into ruin, the Senate ceded it to the Order of Minims of St Francis of Paula for the sum of 15,000 ducats. But the lack of other subsidies meant that this order too was forced to abandon the island within a short time, to be succeeded in 1690 by the Carmelites of the reform of St Teresa, known as the 'Barefoot' Carmelites, who soon reversed the terrible degeneration caused by abandonment and turned the monastery into a modest though charming religious dwelling. But it so happened that their efforts had to be redoubled, for in 1716 the church and the greater part of the monastery were destroyed by fire. For a second time, the buildings were restored to their former beauty but in 1806 the Carmelites were forced to leave it and join the monastery of the Scalzi in Venice.

The church, which had deteriorated with the passage of time, was restored and enlarged together with the monastery between 1428 and 1458 and decorated with the immortal works of Vivarini, Bellini and Paoli, but as mentioned above, the fire destroyed all but a few, not undeserving, modern works. As in the case of other islands we have described, once the church and adjacent buildings had been demolished, everything else on the island except for a gunpowder warehouse was lost. In former times, the island was not infrequently used for the reception of ambassadors approaching Venice from this part of the lagoon, such as the Imperial ambassador, the Spanish ambassador, etc. Doge Renier met Pius VI here on his way back from Vienna (1782) but there is not space here to list the other occasions of historical significance.

LUIGI CARRER, Isole della laguna e Chiogga in *"Venezia e le sue lagune"*, VENEZIA, 1847, vol. II, 490-491.

Dall'alga abbondante prese il nome quest'isola, nella quale in antico la famiglia Gattara fabbricò una chiesa, consacrata nell'aprile 1228. Corre tradizione fosservi a canto un monastero di Benedettini. A questi successero eremitani Agostiniani; finchè, sul termine del secolo decimoquarto, fu dato il monastero da Benedetto IX in commenda a Lodovico Barbo, per cui benefizio venne a piantarvisi la celebre congregazione de' Canonici secolari, ch'ebbero, dopo il Barbo, a priore, nel 1409, Lorenzo Giustiniani il santo, e in seguito pontefici, cardinali, patriarchi e vescovi. Nel 1458 la chiesa venne ampliata, e resa d'anno in anno considerabile per insigni reliquie. Nel 1568 furono i canonici da Paolo V chiamati a solenne professione di voti, con intendimento di risuscitare nella congregazione l'antico fervore alquanto rattiepidito. Cent'anni dopo, per decreto di Clemente IX, essa congregazione fu sciolta, e dati il monastero all'ordine dei Minimi di San Francesco di Paola.

Professando questi povertà, e non ritraendo sufficienti sussidi al loro mantenimento, dovettero andarsene, e ci vennero in loro vece, nel 1690, i religiosi Carmelitani della riforma di Santa Teresa,

The island takes its name from the abundant seaweed found in the area. The Gattara family built a church here that was consecrated in 1228. Tradition has it that a Benedictine monastery was also built alongside. The Benedictines were succeeded by Augustinian hermits until, towards the end of the fourteenth century, the monastery was given by Benedict IX in commendam to Lodovico Barbo, who instituted the famous congregation of Secular Canons. Lorenzo Giustiniani, who was later canonized, served as the first prior of the order from 1409. He was succeeded in this role by many future popes, cardinals, patriarchs and bishops. In 1458 the church was enlarged and as the years passed it was enriched with important relics. In 1568 Pope Paul V called on the canons to make a solemn profession of vows, the intention being to return the congregation to something of their former zeal, which had weakened in the meantime. One hundred years later, the congregation was dissolved by a decree of Clement IX, and the monastery given to the Order of the Minims of St Francis of Paula.

che ridussero chiesa e monastero a maggiore decoro e bellezza. Ma nel luglio 1716 (altri scrive 1717) un deplorabile incendio distrusse chiesa e parte del monastero, in cui la biblioteca fondatavi dal cardinale Antonio Corraro, famosa, oltre al resto per libri donatile da papa Eugenio IV e dal cardinale Girolamo Aleandro. Fu però preservata dall'incendio la cella abitata dal santo Lorenzo Giustiniani, e la si mostrava tuttavia negli ultimi anni dello scorso secolo.

The Minims professed vows of poverty but did not have even sufficient funds to maintain themselves, so in the end they had to leave. Their place was taken by the Carmelite friars of the Reform of St Theresa who saw to it that the church and monastery were restored and beautifully decorated. But in July 1716 (some claim 1717) a terrible fire devastated the church and part of the monastery including the library founded by cardinal Antonio Corraro, famous among other things for the books donated to it by Pope Eugene IV and by Cardinal Girolamo Aleandro. The cell once inhabited by Saint Lorenzo Giustiniani was saved from the flames, however, and until the final years of the last century, it was still possible to visit it.

RICCIOTTI BRATTI, *"Vecchie isole veneziane"*, VENEZIA, 1913, 51-61.

...Se ne giace questa poco distante da sant'Angelo, a ponente di Venezia, in quella parte della laguna che conduce a Fusina, e s'ebbe il nome dalla copia di alga marina portata, nelle acque intorno, dalla corrente. Una piccola Cappella dedicata a san Giorgio, contornata da un'ampia e deliziosa vigna, fece accorrere i religiosi alla ridente isoletta.

Pare che verso l'anno 1400 vi sorgesse la congregazione dei Canonici Regolari, alla quale diede lustro Lorenzo Giustiniani, primo Patriarca di Venezia, annoverato poscia tra i Santi della Chiesa Romana: ai Canonici succedettero i Padri Minimi di san Francesco di Paola e infine i Carmelitani Scalzi.

La chiesa e il convento erano ricchi di opere d'arte, quasi tutte distrutte da terribile incendio scoppiato nel 1717: il coro pensile nel mezzo del tempio, sostenuto da sei colonne e congiunto con l'organo, era lavoro maraviglioso a cui facevano corona pitture egregie di Gio. Batta Cima, di Bartolomeo Santacroce, del Giambellino, di Antonio e Bartolomeo da Murano: nel refettorio del monastero ammiravasi una Crocifissione, opera preziosa di Donato Veneziano, e un sontuoso Pulpito di finissimo marmo. Il governo avea speciale cura di san Giorgio in Alga, poiché era costante usanza di ricevere nell'isola gli ambasciatori dell'Impero e di Spagna e tutti quei Principi che venivano a Venezia dalla parte di terra.

Già ai 21 luglio del 1574, mentre Enrico III partendo da Venezia si avviava a Fusina "in una barca coperta di soprarizzo d'oro, assieme col doge Mocenigo", fu salutato il passaggio del Sovrano dalle salve della Artiglierie poste in san Giorgio.

Ma occasione solenne ebbero la chiesa e il convento della piccola isola di sfoggiare tutta la lor pompa nel 1782, quando ai 15 di maggio papa Pio VI giungeva a Venezia. La città era tutta in festa, poiché fin dalla mattina gli spari della Fusta ormeggiata in bacino di san Marco avevano annunziato che il Serenissimo Paolo Renier con i consiglieri, i Capi della Quarantia Criminale ed i Savi erano montati sui tre Peatoni ducali, tutti ricoperti di broccato d'oro e di velluto cremisi, per recarsi ad incontrare il Pontefice che se ne ritornava

...It lies a little way from Sant'Angelo, to the west of Venice, in that part of the lagoon towards Fusina, and owes its name to the abundance of seaweed in the surrounding waters, brought here by the currents. The small chapel dedicated to St George and surrounded by a large and delightful vineyard added to the charm of the little island, to which many pious men were attracted.

It would appear that towards the year 1400, the congregation of Regular Canons was founded here, its eminence assured by its links with Lorenzo Giustiniani, first patriarch of Venice, who would later be included among the saints of the Roman church. The Canons were succeeded by the Minim Fathers of St Francis of Paula, and then finally by the Barefoot Carmelites.

The church and convent were rich in art works, almost all of which were destroyed by a disastrous fire that broke out in 1717: the suspended choir stalls in the centre of the church, held up by six columns and adjacent to the organ, were an outstanding work, embellished by paintings by Giovanni Battista Cima, Bartolomeo Santacroce, Giovanni Bellini and Antonio and Bartolomeo da Murano. In the refectory of the monastery one could admire a Crucifixion by Donato Veneziano, together with a sumptuous pulpit of elegant marble. The government took special care of S. Giorgio in Alga since it was customary to hold receptions here for foreign dignitaries such as the ambassadors of the Empire and of Spain as well as for royal personages arriving in Venice from the mainland.

On 21 July 1574, Henry III departed from Venice; as he was approaching Fusina in a boat covered by a gold canopy, accompanied by Doge Mocenigo, the sovereign's passage was saluted by a salvo fired by artillery stationed on San Giorgio.

And in 1782, an occasion of some solemnity provided the little island with the opportunity of showing off all its pomp with the arrival, on 15 May, of Pope Pius VI in Venice. The whole city celebrated this visit, and from early morning shots rang from the Fusta moored in the San Marco basin to announce that the Doge Paolo Renier with his advisers, the Heads of the Quarantia Cri-

da Vienna. Le barche seguivano a migliaia il Doge, che scese a san Giorgio in Alga, mentre il Patriarca, a capo di tutti i vescovi dello stato Veneto, spingevasi fino al Moranzano per aspettare ivi l'arrivo del Papa. Giunse questi infatti accompagnato dai procuratori di San Marco, Alvise Contarini e Ludovico Manin, rappresentanti della Repubblica durante il viaggio della Corte Romana attraverso i dominii veneti, e, arrivato col bellissimo e speciale Burchiello all'approdo dell'isola, trovò il Serenissimo a capo scoperto, che con tutta la Signoria moveva a rendergli omaggio.

Entrato nella chiesa di san Giorgio a dir breve orazione, Pio VI scese poscia nella barca ducale, mentre sette galere ivi disposte in linea e fuste ed altri vascelli tuonavano con le loro artiglierie in segno di esultanza, facendo così eco al festante squillo di tutte le campane della città e alle grida di gioia delle migliaia di persone che su peote, gondole ed altre imbarcazioni accompagnavano il Papa durante il percorso del canale della Giudecca. Non è qui il caso di ricordare le feste e le funzioni che vennero fatte per il soggiorno del Pontefice in Venezia, soggiorno che ebbe termine ai 19 del mese stesso con la solenne benedizione papale impartita al popolo veneziano da una magnifica Loggia approntata per l'occasione in campo dei santi Giovanni e Paolo.

L'isola di san Giorgio in Alga, come le altre molte, venne col tempo abbandonata e cadde in rovina, dopo esser stata testimone di tante liete e tristi vicende. Servì anche di carcere politico, poiché nell'inverno del 1799 vi erano custoditi l'Ufficiale di artiglieria Teodoro Psalidi e il marchese Azzo Giacinto Malaspina. Strano tipo di gentiluomo, il marchese Malaspina: nato ai 23 dicembre 1746, dopo aver occupato alcune cariche alla Corte di Parma, passò in Toscana, divenendo amico intrinseco del granduca Leopoldo, del quale condivideva le idee in fatto di riforme ecclesiastiche. In lotta con la Curia Romana, per aver anche nei suoi dominii adottati gli stessi sistemi del Governo di Firenze, il marchese Azzo allo scoppiare della Rivoluzione francese si pronunziò con grande entusiasmo fautore delle novissime idee, rendendo omaggio al Bonaparte allorchè il generale degli eserciti di Francia scese in Italia, e inalberando il vessillo tricolore sulle avite rocche di Mulazzo e di Monteregio. Coinvolto in questioni politiche, il bargello di Firenze lo carcerava nella Fortezza da Basso, di dove passava a Mantova e poscia a Venezia e a Cattaro: finalmente veniva inviato all'isola di san Giorgio in Alga. Il Malaspina asseriva che non erano i reati politici la causa della sua prigionia, ma bensì la persecuzione di Windham, già ministro inglese alla Corte del Granduca, e allora nelle grazie della celebre Alessandra Mari da Arezzo, un tempo amante del marchese Azzo e da questi allontanata per fede tradita. Con due versi, dei quali il secondo soltanto è comprensibile, scritti sulla parete del carcere, il Malaspina proclamava: "vittima son di gelosia britanna", alludendo così alla nazionalità del ministro Windham.

E incerto come terminasse i suoi giorni il prigioniero: la rottura di una inferriata del carcere fece supporre ch'egli tentasse la fuga

minale [bench of forty magistrates] and the Savi [the Wise] had boarded the three ducal barges which were decked out in gold brocade and crimson velvet, in order to go and meet the Pope on his way back from Vienna. Thousands of boats followed the Doge, who put in at San Giorgio in Alga, while the Patriarch, heading all the bishops of the Venetian state, went on as far as Moranzano to wait for the Pope's arrival. During the journey of the Roman court across the Veneto lands, the Pope was accompanied by the Procurators of San Marco, Alvise Contarini and Ludovico Manin, representatives of the Republic. He continued his journey by water in the magnificent Burchiello, disembarking at the island of San Giorgio where the bare-headed Doge together with the whole of the Signoria awaited him in order to pay homage.

After delivering a short oration in the church of San Giorgio, Pius VI then boarded the ducal ship while seven galleys lined up in a row, together with fuste *and other vessels, firing their artillery in a sign of rejoicing, thus echoing the festive pealing of all the bells in the city and the cries of joy of the thousands of people in peote, gondolas and other vessels that were accompanying the Pope during his voyage down the Giudecca canal. This is not the place to recall the feasts and the receptions which were laid on to celebrate the Pope's stay in Venice which ended on the 19th of the same month with the solemn Papal blessing of the Venetian people from a magnificent loggia prepared for the occasion in the square in front of the church of S. Giovanni e Paolo.*

Like so many other islands, San Giorgio in Alga lived through many vicissitudes both joyful and sad, but was in time abandoned and fell into ruins. It was also used as a jail to house political prisoners: in the winter of 1799 the Artillery Officer Teodoro Psalidi and the Marquis Azzo Giacinto Malaspina were both held here. The Marquis Malaspina was an odd type of gentleman: he was born on 23 December 1746 and after holding positions at the court of Parma, he went to Tuscany and became an intimate of the Duke Leopoldo, whose ideas on ecclesiastical reform he shared. At odds with the Roman Curia for having adopted, in Roman territory, the same systems used by the Florentine government, at the outbreak of the French Revolution he declared himself an enthusiastic champion of the new ideas, and as Bonaparte, at the head of the French army, entered Italy, he paid homage to the young general by hoisting the tricolour flag on his ancestral rocks of Mulazzo and Monteregio. His involvement in political affairs caused the Florentine government to imprison him in the Fortezza da Basso, from where he was transferred first to Mantua and then to Venice and Cattaro. He was finally held on the island of San Giorgio in Alga. Malaspina claimed that his incarceration had not been due to his political activities, but to the persecutory activities of Windham, the former British Ambassador to the court of the Granduke of Tuscany, who at the time was having a relationship with the famous Alessandra Mari da Arezzo, formerly a lover of Malaspina, who had left her

o forse annegasse in laguna, ma il ricordato Psalidi attestava invece come il Malaspina venisse nell'isola stessa trucidato e come quindi venisse a bell'aposta rotta l'inferriata attaccandovisi una corda che metteva nella sotto posta laguna, per far credere alla fuga del Marchese. Null'altro certamente si seppe di questo bizzarro tipo di rivoluzionario e di feudatario nel tempo stesso, che, malgrado i suoi difetti, era tuttavia uomo di gran cuore, di animo generoso e caldo d'amor patrio.

In san Giorgio fu pure relegato Domenico Morosini, del ramo di santa Maria Formosa, per un sonetto ch'egli avea scritto contro l'Imperatore Francesco II, cui si rivolgeva dicendo:

"Rendeci omai la libertà, l'impero
Che ai vilmente col braccio altrui rapito,
Di tua forza la fede, l'onor vero,
Il grave furto a riparar Te invito"

Parole veramente degne di un patrizio veneto che ricordava il glorioso Governo degli avi illustri, parole tuttavia alle quali non seppero corrispondere i fatti, poiché il Morosini accettava in seguito dall'Imperatore la carica di Ciambellano e quella di Podestà di Venezia.

Giacomo Guardi, figlio del grande colorista Francesco, tracciava nella prima metà del secolo XIX, un piccolo schizzo in cui la vaghezza della bella isola è resa con grazia e buon gusto, in cui pare aleggi ancora la dolce, calma poesia che circondava un giorno i verdeggianti dossi sparsi intorno nell'ampia laguna, quei tranquilli e pittoreschi siti che erano come le gemme fulgenti, circondanti l'antica maravigliosa città.

Oggi pure le vecchie piccole isole sono come sentinelle sperdute nell'incombente solenne silenzio, ma mutati i tempi, ormai esse "fanno cerchio intorno all'isola che il nome, e la sembianza, e il vasto perduto ha impero".

because of her infidelity. In two lines of verse, of which only the second is intelligible, written on the prison walls, Malaspina proclaimed, "I am a victim of British envy", alluding thus to the minister Windham's nationality.

How the prisoner ended his days is not known: a break in the iron bars gave rise to the supposition that he had tried to escape and perhaps drowned in the lagoon, but Psalidi, mentioned above, claimed instead that Malaspina had been murdered on the island itself and that the metal grille had been broken deliberately and a rope leading down to the water had been tied onto it in order to suggest that the Marquis had escaped in this way. Certainly, nothing more was ever heard of the man who had been at once bizarre revolutionary and feudal lord and who, despite his defects, was a man of good heart and generous spirit as well as a fervent patriot.

Another prisoner on San Giorgio was Domenico Morosini, of the Santa Maria Formosa branch of the family, his crime that of having written a sonnet against the Emperor Francis II which ran:

"Rendeci omai la libertà, l'impero
Che ai vilmente col braccio altrui rapito,
Di tua forza la fede, l'onor vero,
Il grave furto a riparar Te invito."

[Now give back to us our freedom, the empire
Which so basely you took by force of others' arms,
Your strength to faith transform, honour true,
The wicked theft I now invite you to repair.]

Lines most worthy of a Venetian noble as he recalled the glorious Government of his illustrious ancestors, but which were not matched by the poet's actions, for Morosini was later to accept from the Emperor the roles of Chamberlain and Podestà of Venice.

In the first half of the nineteenth century Giacomo Guardi, son of the great colourist Francesco, made a small sketch of the island, depicting it in all its charm in a manner both graceful and tasteful, and in which it seems that the sweet, calm poetry which once surrounded the clumps of greenery scattered over the wide waters of the lagoon still hovers, in those quiet and picturesque places that lay like a garland of sparkling gems around the ancient and beautiful city.

Even today these ancient little islands are like sentinels lost in the solemn, looming silence, but times have changed and now they only "encircle this island that has lost the title and the semblance and the substance of empire".

EUGENIO MIOZZI, *"Venezia nei secoli"*, VENEZIA, 1957, vol. III, 225-226.

Tale isola posta a mezza strada fra Venezia e la foce del Brenta fu ai primi tempi della Repubblica una tappa di questa via di transito. Fu chiamata S. Giorgio dal nome del santo patrono, in Alga dalle erbe

In the early days of the Republic, this island, situated as it is midway between Venice and the mouth of the Brenta was a stopping place on this important thoroughfare. It took the name of San

palustri che attorno vegetavano in gran quantità.

La fondazione del Cenobio risale al 1000, ma presto assurse a grande importanza tanto che nel 1216 fu in grado di accogliere il doge Pietro Ziani, il Patriarca di Aquileia Volchero, e gli ambasciatori di Padova e Treviso per suggellare la pace di quella guerra scoppiata per la contesa del Castello d'Amore, anticipando di otto secoli le funzioni della Società delle Nazioni.

Ebbe per ospiti prima i monaci Benedettini, poi nel 1350 alcuni eremiti spagnoli, poi Agostiniani, e poi Celestini e nel 1400 canonici regolari. Ospitò personaggi storici, come Antonio Correr poi Cardinale, Gabriele Condulmer che poi divenne pontefice col nome di Eugenio IV, Lorenzo Giustiniani, poi Santo, che vi scrisse alcune sue opere, Stefano Mororosini, Mario Querini; fu dotata di libreria ricchissima, e tale divenne dopo il dono fattole dal vescovo di Treviso Tommaso Contarini della sua privata biblioteca; purtroppo questa libreria fu quasi distrutta da un grandissimo incendio.

Fornita di un'ampia foresteria per ricovero dei transitanti tra Venezia e la terraferma, potè essere sede di ricevimenti principeschi; tra gli altri ricordo l'incontro e il matrimonio di Mastino della Scala con Taddea dei Carrara signori di Padova nel 1328; la sosta di Anna d'Ungheria nel 1502; l'incontro del Doge Paolo Renier con Pio VI reduce dalla Germania nel 1782. L' unita fotografia indica il miserevole abbandono, la desolazione odierna; il cadavere di S. Zorzi in Alga si sta disfacendo.

Giorgio from its patron saint and in Alga from the marshland plants which grew in great quantities around the island.

The monastery was founded in 1000 but its importance soon grew, so that in 1216 it was able to welcome the Doge Pietro Ziani, the Patriarch of Aquilea Volchero and the ambassadors of Padua and Treviso to seal the peace after the hostilities which had broken out over the Castello d'Amore, anticipating by eight centuries the role of the League of Nations.

It was the dwelling-place first of Benedictine monks, then in 1350 of some Spanish hermits, then Augustinians, and Celestines and then in 1400 of Regular Canons. It was home to various famous personages, among them Antonio Correr, later Cardinal, Gabriele Condulmer who later became Pope with the name Eugene IV, Lorenzo Giustiniani, later Saint, and who wrote several of his works there, Stefano Morosini, and Marino Querini. It had a rich library, thanks to the bequest of the Bishop of Treviso, Tommaso Contarini, of his own private book collection. Unfortunately this library was almost entirely lost by fire.

With its large guest-quarters for housing travellers from Venice to the mainland, it was a place of princely receptions, such as the meeting and the wedding of Mastino della Scala with Taddea dei Carrara, from the family of the lords of Padua in 1328, Ann of Hungary's stay in 1502, the meeting of the Doge Paolo Renier with Pius VI on his return from Germany in 1782. The accompanying photographs show the state of squalid abandonment and desolation in which the island languishes today: the remains of S. Zorzi in Alga are in an advanced state of decay.

ALVISE ZORZI, *"Venezia scomparsa"*, VENEZIA, 1971, 405-408.

L'isola di San Giorgio ("san Zorzi") in Alega cioè "in alga", fra le alghe, compare in molte vedute lagunari, e doveva la propria notorietà al fatto di rappresentare il primo scalo per le barche che giungevano a Venezia dalla terraferma. Il canale lagunare che la tocca, e non è che la continuazione del canale della Giudecca, conduce direttamente a Lizza Fusina, dove il canale navigabile del Brenta entra in laguna; l'isola si trovava dunque proprio sulla rotta di chi veniva da Padova. Da ciò la consuetudine di riceverivi in pompa magna gli ambasciatori e altri grandi personaggi forestieri in visita ufficiale, come Pio VI quando capitò a Venezia *peregrinus apostolicus* nel corso del suo viaggio a Vienna. Il monastero, benedettino dapprima, poi agostiniano, aveva acquistato fama da quando il priore commendatario Ludovico Barbo vi aveva accolto nel 1404, una nuova congregazione di Canonici regolari che prese il nome dell'isola, congregazione che era stata fondata l'anno 1400 dai nipoti di papa gregorio XII Antonio Correr e Gabriel Condulmer, che fu poi papa Eugenio IV. Ad essi si erano aggiunti anche Marino Querini e Lorenzo Giustiniani, quest'ultimo destinato a diventare patriarca di Venezia e santo. Lorenzo Giustiniani divenne priore di San Giorgio dopo che il Barbo

The island of San Giorgio ("san Zorzi") in Alega, or "in alga", amid the seaweed, is depicted in several lagoon views, and owed its fame to the fact that it was the first stop on the journey to Venice from the mainland. The lagoon canal which bathes its shores is none other than the continuation of the Giudecca canal, which leads directly to Lizza Fusina, the point at which the navigable Brenta canal meets the lagoon; the island therefore lay on the route taken by travellers from Padua. For this reason, it became customary for ambassadors and other foreign dignitaries on official visits to Venice to be greeted here with a great display of pomp and magnificence, such as when Pope Pius VI stopped off at Venice in the course of his apostolic journey to Vienna. The monastery was at first Benedictine, then Augustinian, and became famous in 1404 when the commendatory abbot Ludovico Barbo received a new congregation of Regular Canons which took its name from the island. The congregation had been founded in 1400 by the nephews of Pope Gregory XII, Antonio Correr and Gabriel Condulmer, later to become Pope Eugene IV.

To their numbers were added Marino Querini and Lorenzo

era passato abate di Santa Giustina di Padova; sotto la sua reggenza la chiesa conventuale veniva rifabbricata "grande bensì, ma povera, e di abbellimenti materiali affatto disadorna", secondo lo spirito evangelico professato dal Giustiniani.

Soppressa la congregazione da Clemente IX nel 1668, perché la Repubblica veneta potesse utilizzarne i beni nella guerra contro i Turchi, l'isola passò via via ai Minimi e poi ai Carmelitani Scalzi, i quali dovettero rifabbricare la chiesa dopo che un incendio, scoppiato l'11 luglio 1716, l'aveva distrutta con gran parte di fabbricati del monastero. Perirono nell'incendio una *Natività* di Giambattista Cima da Conegliano e probabilmente anche le altre opere d'arte ricordate nel 1581 dal Sansovino e nel 1674 dal Boschini: "la tavola di S. Catherina con quattro santi in quattro nicchie a guazzo, fu opera di Francesco de' Franceschi, et la tavola di S. Pietro et di S. Paolo, con quell'altra di S. Marco, fu lavorata dai Vivarini"; la pala dell'altar maggiore, *San Giorgio davanti a Diocleziano*, "opera bellissima e singolare" della scuola di Paolo Veronese "con gran numero di astanti", tre tele ovali con le *Storie della vita del Santo e del suo martirio*, "della stessa mano", e una pala di Girolamo di Santacroce datata 1525, raffigurante *San Lorenzo Giustiniani con i santi Stefano e Lorenzo martire*. Al loro poto si vedevano, al cadere della Repubblica, tre pale di Bartolomeo Litterini e altre opere di Giovanni Medi e del Cavalier Bambini. Il refettorio, che evidentemente non era stato del tutto guastato dall'incendio, serbava una *Crocefissione* di Donato Veneziano e aveva pitture di Giovanni Antonio Pellegrini e dell'Angeli. Esso si adornava anche di un suntuoso pulpito marmoreo.

Soppressi nel 1806 chiesa e convento, dopo che già nel 1799 erano stati utilizzati come prigione politica, il 16 aprile 1807 Pietro Edwards sceglieva per la Corona, tra 153 pezzi di quadri e stampe, due quadri, la *Crocefissione* di Donato, "in tela posto sopra ruotolo… assai patito" e uno *Sposalizio di Santa Caterina* che lo stesso Edwards attribuiva a Jacopo Tintoretto. Quest'opera finiva nel 1852 a Leopoli col secondo lotto, valutata 140 lire austriache e attribuita a Domenico Tintoretto; ivi finivano anche due pale d'altare, entrambi raffiguranti *San Giovanni della Croce*, l'una ritenuta di scuola del Bambini, l'altra di "moderno veneto", stimata 40 lire. Frattanto gli edifici venivano in gran parte abbattuti per far posto ad anonimi edifici militari. Un lavabo cinquecentesco di pietra si conserva nelle raccolte del Seminario.

Giustiniani, the latter destined to become patriarch of Venice and later canonized as Saint. Lorenzo Giustiniani became prior of San Giorgio after Barbo had become prior of Santa Giustina of Padua; under his leadership, the conventual church was rebuilt "certainly large, but plain, and bereft of material adornment", in accordance with the evangelical spirit professed by Giustiniani.

After the congregation was suppressed by Clement IX in 1668 so that the Venetian Republic could use the proceeds in the war against the Turks, the island fell first into the hands of the Minims and then the Barefoot Carmelitans, who had to rebuild the church after a fire broke out on 11 July 1716, destroying it together with a large part of the monastery buildings. A Nativity *by Cima da Conegliano was lost in the fire and probably also the other art works recalled in 1581 by Sansovino and in 1674 by Boschini: "the panel of St Catherine with four saints in four niches in gouache, was the work of Francesco de' Franceschi and the panel of St Peter and of St Paul as well as that of St Mark was worked on by the Vivarini"; the altarpiece for the high altar,* St George before Diocletian, *a "beautiful and unusual work" by the school of Paolo Veronese "with a great number of bystanders", three oval canvases with the* Stories of the Life of the Saint and of his Martyrdom, *"by the same hand", and an altarpiece by Girolamo da Santacroce dated 1525, showing* San Lorenzo Giustiniani *with Saints Steven and Laurence the Martyr. In their place at the fall of the Republic, were three altarpieces by Bartolomeo Litterini and other works by Giovanni Medi and the Cavalier Bambini. The refectory, which was evidently not altogether destroyed by the fire, had a* Crucifixion *by Donato Veneziano and paintings by Giovanni Antonio Pellegrini and dell'Angeli. It was also decorated with a magnificent marble pulpit.*

The church and convent were suppressed in 1806, having been used since 1799 as a jail for political prisoners. On 16 April 1807 Peter Edwards chose on behalf of the Crown from among 153 paintings and prints, two paintings: the Crucifixion *of Donato, "on rolled up canvas… in a poor state" and a* Marriage of St Catherine *which Edwards attributed to Jacopo Tintoretto. This work ended up at Leopoli in 1852, with a second lot valued at 140 Austrian lire and attributed to Domenico Tintoretto; the same destiny was shared by two altarpieces, both depicting* San Giovanni della Croce, *one thought to be by the school of Bambini, the other by a "modern Veneto artist", valued at 40 lire. In the meantime the buildings were mostly demolished to make room for the anonymous military buildings. A sixteenth-century stone lavabo is preserved in the collections of the Seminary.*

S. GIORGIO IN ALGA

Veduta dall'aereo. S. Giorgio in Alga conserva tra le rovine l'antica prosperità. Per la sua facilità di comunicazione meriterebbe una riutilizzazione.

Aerial view. S. Giorgio in Alga retains amid its ruins traces of a former glory. Its accessible position in the lagoon favours redevelopment.

S. GIORGIO IN ALGA

S. Giorgio dal canale di Fusina. Nel 1571 si festeggiava il passaggio dell'imperatore Enrico III diretto in Francia per l'incoronazione.

S.Giorgio seen from the Fusina canal. in 1571 the future king Henri III was fêted during his return to France (from Poland) for his coronation.

S. GIORGIO IN ALGA

La cavana, visibile anche nelle stampe settecentesche, è oggi semidistrutta. Il luogo è in balìa dei vandali e dei predatori. Un rilievo rappresentante S. Giorgio e il Drago è stato rimosso.

The boathouse, still visible in 18th century prints, is today semi-destroyed. The site is at the mercy of thieves and vandals. A relief of S. George and the Dragon was removed in the mid-seventies.

97

S. GIORGIO IN ALGA

Muro interno del monastero.

Interior view of the monastery wall.

La porta principale del monastero.
Nel 1350 l'isola è abitata dagli Agostiniani sotto la guida di S. Lorenzo Giustiniani che sarà poi il primo patriarca
di Venezia.

*The main door of the monastery. In
1350 the island was settled by Augustinian friars under the leadership of
S.Lorenzo Giustinian, later to be the
first Patriarch of Venice.*

Le due porte d'ingresso rinascimentali. Riconoscibili anche nelle stampe settecentesche. Semismantellata l'isola nella prima metà dell'800 numerose opere d'arte furono trasportate in massa all'estero dagli austriaci.

The double-doored renaissance entrance, which is still recognisable in the 18th century prints. On its partial dismantling in the first half of the nineteenth century numerous works of art were removed wholesale by the Austrians.

S. GIORGIO IN ALGA

Particolare delle rovine vicino alla cavana

Detail of the ruins close to the boathouse.

101

ISOLA DI POVEGLIA

tini f.   XVI.   ISOLA DI POVEGLIA.   Appo

POVEGLIA

Nel 1777 l'isola passa in amministrazione del Magistrato alla Sanità. Dello stesso anno è questa incisione di A. Visentini.

In 1777 the island came under the control of the Public Health Magistracy. This Visentini engraving is from the same year.

POVEGLIA

In primo piano nella stampa del Tironi-Sandi l'ottagono esistente ancor'oggi, dietro la chiesa e il campanile di S. Vitale chiusa nel 1806.

The octagon visible in the foreground of this Tironi-Sandi print still exists today (1978). The church and belltower behind were suppressed in 1806.

STORIA DI POVEGLIA ATTRAVERSO LA DESCRIZIONE DI ALCUNI AUTORI
THE HISTORY OF POVEGLIA ACCORDING TO THE DESCRIPTIONS OF VARIOUS AUTHORS

ERMOLAO PAOLETTI, *"Il Fiore di Venezia"*, VENEZIA, 1837, vol. I, 187 - 190.

Da S. Spirito, spingendosi più verso ponente, incontrasi l'isola di Poveglia o Poveggia, Pupilia nominata dalle vecchie carte. Occupata dal soverchio degli Atestini e de' Padovani rifugiatesi nelle incursioni sul lido di Malamocco, tranquilli rimasero i suoi abitanti fino all'809 in cui calato Pipino ed invasi i vicini paesi dovettero ritirarsi a Rialto. Deserta allora rimase Poveglia; ma nell'864 condotti furono ad abitarla i servi e gli schiavi dell'assassinato doge Pietro Tradonico a condizione di pagare degli annui censi al ducale palazzo, tra i quali eravi quello di dover il gastaldo, accompagnato da sette anziani dell'isola, portare a Rialto per Pasqua alcuni panieri di frutta e di pesce nell'atto che inchinavansi al doge e che il doge gli ammetteva al bacio di pace. Col progresso del tempo quegli usi cangiavano in altri più adatti alle circostanze. Continuavano ben sempre i Povegliesi ad intervenire ogni anno al palazzo ducale, ma più che porgere i tributi, per prestare un peculiar giuramento di fedeltà a cui furono obbligati a cagione delle torbide indoli loro. E questo anzi facevano nella seconda festa di Pasqua che nella domenica susseguente alla festività dell'Ascensione, dopo quella cerimonia erano onorati di un banchetto a cui assisteva lo stesso doge. A cagione di malattia sostituito una volta dal suo cavaliere, questi fece mai sempre le veci del principe. Compiuto il banchetto, come praticavansi ne' banchetti solenni, ne portavano seco gli avanzi e regalati venivano di confetture e di un garofano.

Ripopolata a tal guisa Poveglia da 200 famiglie di quei servi, ritenuti per la maggior parte Benacensi, ossia del laghi di Garda, i nuovi coloni si applicarono ad erigere fabbricati ed a fortificare l'isola. E già così rapidamente ne crebbe la popolazione che nel secolo decimo contava 800 abitazioni, avea un castello ben munito, vigne e saline dintorno e consideratasi una delle principali comunità della Venezia con consiglio maggiore e minore, coi così detti giudici del comune, sotto il governo prima del tribuno, indi del castaldo ducale, e finalmente del podestà. Nella guerra di Chioggia era tale che obbligatasi a contribuire quante barche furono imposte a Murano. In quella guerra rimanendo però divisi i suoi abitanti dagli steccati piantati a s. Spirito e alla Giudecca pensossi, per maggior cautela, di trasportarli a Venezia, e distribuirli parte alla Giudecca e parte nelle parrocchie de' ss. Gervaso e Protasio e di s. Agnese, costruendosi inoltre quel forte detto Ottagono che domina tuttora la laguna ed il canale di s. Spirito.

Ma a cagione di quella guerra l'ultimo eccidio sofferse Poveglia del quale più non risorse. Già nel 1433 il pievano e gli abitanti ridotti a scarso numero, vivevano a carico del governo; già, corrosa dalle acque, o distrutta dalle procelle e dai terremoti, si ridusse a

To the west of S. Spirito lies the island of Poveglia or Poveggia, which appears on old maps under the name of Pupilia. It was settled by an overflow of Atestini and Paduans fleeing the incursions who took refuge on the Lido of Malamocco. Its inhabitants lived peacefully until 809, the year in which Pipino invaded the neighbouring villages, forcing them to repair to Rialto. For some time Poveglia remained deserted: but then in 864, the servants and slaves of the murdered doge Pietro Tradonico were brought here, on condition they pay annual taxes to the Ducal Palace. Among their obligations was that at Easter their steward, accompanied by seven elders of the island, deliver a certain number of baskets of fruit and fish to Rialto and make a bow to the Doge, after which The Doge would admit them to participate in the kiss of Peace. With the passing of time, these customs evolved into others more suitable for the circumstances. The Povegliesi continued to visit Palazzo Ducale each year, but rather than pay tribute with goods, they came in order to swear a peculiar sort of allegiance to which they were obliged on account of their restless temperaments. This they did in the second week of Easter, on the Sunday following the Feast of the Ascension, after which ceremony a banquet was held in their honour, attended by the Doge himself. Once, due to illness, the Doge's place was taken by one of his knights, and from that time onwards a knight always stood in his stead. As was the custom on such solemn occasions, the guests took the leftovers from the banquet home with them and were presented with preserves and with a carnation.

After the island had been deliberately repopulated with these two hundred servant families, believed to have been mainly Benacensi, from Lake Garda, the new settlers erected buildings and built fortifications on the island. The population increased so rapidly that by the tenth century it counted 800 habitations, had a well-supplied castle and vineyards, and salt panning was carried out in the surrounding waters. It was considered one of the main communities making up Venice, having its own greater and lesser council, as well as so-called municipal judges acting under the government first of the tribune and later of the ducal chamberlain, and finally of the podestà. During the War of Chioggia its stature was such that it was obliged to provide as many boats as Murano. But since the inhabitants were cut off by the palisades erected at S. Spirito and the Giudecca, it was decided to take the precaution of moving them to Venice, where some were distributed to the Giudecca and some to the parish of SS Gervasio e Protasio and S. Agnese, as well as of building the octagonal fort which still dominates the lagoon and the canal of S. Spirito.

non aver più che 500 passi in giro. Bensì ai pochi superstiti non vennero mai meno i privilegi degli antenati. Inseriti nel novero dei cittadini originari, esenti dai dazi, dalle tasse delle arti e dalle imposte perfino per lo scavamento dei canali interni della città, giunti all'età di sessanta anni avevano essi soli il diritto di comperare ad un prezzo stabilito tutto il pesce proveniente dall'Istria e venderlo nel pubblico mercato di s. Marco. Protetti immediatamente dal Doge, la magistratura delle Rason vecchie era destinata a decider sulle questioni loro, e sui loro interessi. Né era tra tutti men prezioso per essi il privilegio di accompagnare in una peota il doge quando portavasi in funzione a Poveglia, e precedere non solo il bucintoro nel dì dell'Ascensione, ma far ala al principe sulla destra del ponte per cui passava nell'andare dal palazzo al bucintoro e viceversa nel ritorno. Altro privilegio, più lucroso forse di tutti, era per essi quello di condurre coi remurchi le navi nel porto di Malamocco e portarvi cordaggi, ancore ed altri armeggi.

Che cosa però montavano siffatti privilegi ad un vuoto paese? Ultimamente Poveglia era solo ridotta a otto persone comunque nel 1527 il magistrato alle Ragioni vecchie l'avesse invano esibita al camaldolese Pietro Giustiniani patrizio veneto perché vi fondasse un eremo, e comunque nel 1659 concedesse a' Povegliesi di rifrabbicar l'isola, e nel 1661 confermasse loro tutti gli antichi privilegi. Tuttavolta saluberrima n'è l'aria dell'isola, avendo non di rado oltrepassato il secolo qualche suo abitatore. Il perché, ebbe altri vantaggi, quando nel 1782 il senato riconobbe la inutilità del Lazzaretto nuovo, a cagione dell'aria malsana e del deperimento delle sue fabbriche, volse gli occhi a quest'isola in confronto di s. Spirito e del Lazzaretto vecchio onde formare un nuovo Lazzaretto che appellar dovevasi "nuovissimo".

Fin dal 1777 il magistrato di Sanità avea ordinato di far passare nel canale di Poveglia le navi provenienti dall'alto levante bisognose di carena. Quel canale fu perciò detto canal delle navi, e la fabbrica in pietra tuttavia sussistente nell'isola col nome di Tezon grande serviva appunto al deposito degli attrezzi di quei bastimenti. Ma fu nel 1793 che, giunta a Venezia una tartanella idriotta infetta di peste, venne quest'isola destinata a lazzaretto provvisorio, eretti furono nell'interno alcuni caselli di legno per gli infetti e circondata da barche armate e premunita con altre precauzioni sanitarie, valse ad impedire che la peste non si propagasse nella dominante. Ricordano questo contagio due piccole colonne di marmo, una presso la chiesa di quest'isola, l'altra presso il detto Tezon grande appiè delle quali si legge: Ne fodias. - Vita funti contagio - Requiescunt - Anno MDCCXCIII. Nel 1799, scoppiata la peste a bordo di un brigantino spagnolo, tradotto venne a quest'isola dove pure felicemente si estinse il contagio colla morte di sole otto persone.

Tali esperienze fecero che nel 1805, sotto la prima dominazione Austriaca, e nel 1808 sotto il governo Italico, si pensasse ad erigere l'isola in un formale lazzaretto. Però nell'una e nell'altra epoca le guerre sconcertarono il progetto; ma nel 1814, ristabilito in questa

Poveglia, however, never recovered from the toll wrought by that war. Already by 1433, the inhabitants were so reduced in number that both they and the parish priest were dependent on the government. Eroded by water or destroyed by storms or earthquakes, the island had shrunk to the extent that its circumference measured no more than 500 paces. However, the few inhabitants continued to enjoy the privileges of their forefathers. As original citizens, they were exempt from excise, from guild taxes and even from the duties levied for the digging out of the canals within the city. In addition, after the age of sixty they had the exclusive right to buy, at an agreed price, all the fish from Istria and sell it in the public market of S. Marco. Their immediate protector was the Doge, and the magistrature of the Rason Vecchie was allocated to them to decide on all matters concerning them and their interests. Not least of their privileges was that of accompanying the Doge in a peota when he attended a function at Poveglia, as well as preceding not only the Bucintoro on the day of the Ascension, but of lining the right side of the bridge over which the Doge passed on his way from the Ducal Palace to the Bucintoro and viceversa upon his return. Another privilege, perhaps the most lucrative of all, was that they were granted the right to pilot ships into the port of Malamocco with tugs and to supply them with ropes, anchors and other ship's apparel.

But of what good were such privileges to a place emptied of people? By 1527, when the magistrato alle Ragioni Vecchie showed it to Pietro Giustiniani, a Venetian nobleman who was a member of the Camaldolesi order, in the vain hope that he would found a community there, the islanders numbered only eight. Notwithstanding this, in 1659 the inhabitants were given permission to rebuild the island and in 1661 all their ancient privileges were reconfirmed. The air of the island was especially wholesome, and not infrequently some of its inhabitants passed their hundredth birthday. It was for this reason, together with other advantages, that when in 1782 the senate recognized the redundancy of the Lazzaretto nuovo, because of the unhealthy air and the decay of its buildings, it was on this island that is set its sights, rather than upon S. Spirito or the Lazzaretto vecchio, with the idea of creating a new lazaretto which was to have been called "nuovissimo".

From 1777 the Health Magistracy had ordered that all ships from the East requiring careening had to pass into the canal of Poveglia. This canal therefore took the name of Canal delle Navi and the stone building which still stands on the island known as Tezon grande was used as a storehouse for the equipment from the cargo ships. But when in 1793 a plague-infected tartane from the Greek island of Hydra docked in Venice, the island was used as a provisional lazaretto. Wooden cells were built for housing the infected and the island was surrounded by armed boats. Thanks to these and other sanitary precautions, the plague was prevented from spreading any further. The outbreak is recorded on two small marble columns, one near the church of this island,

provincia il governo austriaco si accordo' al magistrato di sanità di poter erigere questo celebre lazzaretto che in tante occasioni recò luminosi servigi alla pubblica salute.

the other near the so-called Tezon, upon which are engraved the words: Ne fodias - Vita functi contagio - Requiescunt - Anno MDCCXCIII. In 1799, when there was an outbreak of plague on board a Spanish frigate, it was towed to this island and the disease was extinguished with the death of only eight people.

Such experiences led in 1805, under the first period of Austrian domination, and in 1808 during the French interregnum, to the decision to turn the island formally into a lazaretto. But on both occasions war disrupted the plans. However in 1814, with the re-establishment of Austrian rule in this province, it was agreed with the Magistracy of Public Health to build this famous lazaretto which over the years was to be of great service to public health.

LUIGI CARRER, *Isole della laguna e Chioggia, in "Venezia e le sue lagune"*, VENEZIA, 1847, vol. II, 487-488.

Chiamavasi anticamente Popilia, e l'ebbero da prima, nel nono secolo, i servi e gli schiavi del trucidato doge Pietro Tradonico. Fu smantellata d'ordine pubblico nel secolo decimoquarto agli anni della guerra di Chioggia. Gli abitanti trasferirono a Venezia, e presero stanza per lo più nella parrocchia di Santa Agnese. V'avea una chiesa, con un celebre crocifisso in plastica. Una confraternita, fattolo, come vuolsi, ritrar da Tiziano, lo prese a gonfalone. Si continua a celebrare la solita festa annuale a Malamocco, dove altri sacri monumenti di Poveglia furono trasferiti compreso il crocefisso miracoloso. Fu in questa isola, negli ultimi tempi, istituito un lazzaretto, nel quale le navi dessero compimento alla contumacia sanitaria. Ha passi settecento di circuito.

Known of old by the name of Popilia, it was inhabited by the ninth century by the servants and slaves of the murdered Doge Pietro Tradonico. Dispersed by a civil ordinance in the fourteenth century during the War of Chioggia; the inhabitants were transferred to Venice and most of them were accommodated in the parish of Santa Agnese. There was a church there with a famous sculpted crucifix. It was used by a confraternity as their banner, and tradition has it that it was painted by Titian. Its annual feast is still celebrated at Malamocco, where other sacred objects from Poveglia were transferred, including the miraculous crucifix. Latterly, a lazzareto was set up here so that ships could comply with the quarantine regulations. The island has a circumference of seven hundred paces.

POMPEO MOLMENTI e DINO MANTOVANI, *"Le isole della laguna veneta"*, VENEZIA, 1895, 57-58.

Caduta la Repubblica, il lazzaretto fu trasportato nell'isola di Poveglia, a ponente di Santa Maria di Nazaret. Anche la vecchia Popilia così chiamata forse per certe piantagioni di pioppi, già corrosa e impoverita dalle correnti lagunari, ora è quasi deserta, mentre nei secoli lontani fu sonante di vita ed ebbe a subire le più aspre vicende. I suoi abitanti ebbero antica fama di valore, e si vuole che essi contribuissero sì fattamente alla leggendaria cacciata dei Franchi condotti da Pipino (809), da meritarsi in premio l'esenzione assoluta dalle gravezze pubbliche e dal servizio militare eccetto che nelle guerre comandate dal Doge in persona. Certo fu comune con privilegi e franchigie, e nella seconda metà del secolo nono vi furono confinati molti di coloro, che avevano parteggiato per l'ucciso doge Pietro Tradonico; i quali, sotto il reggimento di un gastaldo ducale coltivarono le terre e le acque, con obbligo di mandare ogni anno al doge un tributo di frutta e di pesce. E' curioso il cerimoniale descritto con nativa efficacia dalla matricola della Scuola o Confra-

After the fall of the Republic, the lazzareto was transferred to the island of Poveglia, which lies to the west of Santa Maria di Nazaret. Known in olden times as Popilia, perhaps because poplars were planted there, the island is now eroded and degraded by lagoon currents, and is almost deserted, whereas in centuries past it pulsed with life and underwent the bitterest of vicissitudes. Her inhabitants were known for their bravery: legend has it that they were instrumental in the legendary expulsion of the Franks led by Pipino (AD 809), and were rewarded for this by being made exempt from the payment of any taxes and from military service, except for those wars conducted by the Doge in person. It was undoubtedly a municipality with privileges and exemptions, and in the second half of the ninth century many of those who had taken the side of the murdered Doge Pietro Tradonico were confined here. Under the stewardship of a Ducal chamberlain, they cultivated the land and the surrounding waters, and

ternita di S. Vitale, che i diciassette rappresentanti di Poveglia seguivano nella loro annua visita al Doge, la terza festa di Pasqua. Fatte le riverenze e i convenevoli, si teneva tra il gastaldo e i compagni di Povegia e il principe questo dialoghetto:" Dio ve dia el buon dì, messer lo Doge, e semo vegnui a disnar con vu. - Sieu ben vegnui! - Volemo la nostra regalia. - Volentieri, che cosa? - Ve volemo basar". Così i diciassette deputati baciavano ad uno ad uno "per mezo la boca" il Serenissimo "perché così è la sua regalia antica"; poi il maestro di cerimonia li faceva pranzare nell'anticamera e riceveva dal gastaldo "26 lire de picoli" per tributo al Doge; dal quale presa in fine licenza, se ne tornavano a' fatti loro.

Nulla più rimane degli antichi edifici di Poveglia. Durante la guerra di Chioggia essa fu smantellata d'ordine pubblico e i suoi abitanti furono trasportati nella contrada di Sant'Agnese a Venezia. Si ricorda tuttavia dagli scrittori che vi sorgeva un castello munito, e anche una chiesa nota per il crocefisso miracoloso, di cui si celebra ancora la festa annuale a Malamocco, dove si tramutarono più altri oggetti religiosi dell'isola.

Adesso le acque l'hanno sfigurata e l'avvolge per sempre il silenzio che pesa su tutta questa parte della laguna pur così calda e piena di sole.

were obliged to send a tribute every year to the Doge in the form of fruit and fish. The ceremony was a curious one as it is vividly described by a member of the School or Confraternity of S. Vitale, who recounts that the seventeen representatives of Poveglia paid their annual visit to the Doge during the third week of Easter. After bowing and exchanging polite greetings, the following short dialogue took place between the chamberlain, his fellow-islanders from Poveglia and the Doge: "The Lord wishes you a good day, your lordship the Doge, we have come to dine with you - You are welcome! - We demand our royal prerogative - Of course, what is it? - We want to kiss you". The seventeen representatives then proceeded, one by one, to kiss the Doge on the mouth "because that was their royal prerogative of old"; then the Master of Ceremonies had them dine in the ante-room and received from the chamberlain a tribute of 26 lire de picoli as a tribute for the Doge. After this, they took their leave of him and went back to their own affairs.

Nothing remains of the old buildings on Poveglia. During the War of Chioggia, the islanders were removed by public order to the parish of S. Agnese in Venice. Writers record, however, that it had a fortified castle, and a church famous for its miraculous crucifix, which is celebrated still in an annual festivity at Malamocco, where other sacred objects from the island were transferred.

Now it is deformed by the tides and surrounded forever by the silence that envelops the whole of this part of the lagoon, for all that it is so warm and sun-filled.

EUGENIO MIOZZI, *"Venezia nei secoli"*, VENEZIA, 1957, vol. III 239-241.

"Decina vero Insula Pupilia manet" : così la elenca la Cronaca Sagornina nel novero delle Isole principali della estensione di questa isola nel lontano passato non si hanno documenti, ma dalle notizie pervenuta si deve presumere che essa sarebbe stata di gran lunga più estesa e più popolata di quanto oggi non sia. In essa furono confinati i Barbolani, esponenti della fazione che nell'864 trucidò il Doge Pietro Tradonico mentre si recava a visitare la Chiesa di S. Zaccaria, ma in questo esilio furono trattati con inusitato riguardo perché poterono disporre dell'isola, del suo castello, del vigneto, delle saline; e poi, dopo poco tempo, furono amnistiati e per di più indennizzati con la concessione di vasti terreni della Giudecca.

Le genti di Poveglia difesero fieramente le lagune all'epoca dell'assedio di Pipino (854) e, secondo la leggenda, per questi atti di valore godettero del privilegio di reggersi quasi indipendenti dalle leggi della Repubblica; erano esentati dalle gravezze e dal servizio militare eccetto che nelle guerre comandate dal Doge in persona.

Forse per la diminuita estensione dell'isola in seguito al bradisismo, forse per una insofferenza un po' troppo spregiudicata dei suoi abitanti verso le supreme Autorità e verso le buone norme della convivenza, forse per il loro contegno che diede luogo a gravi

It is listed as "Decina vero Insula Pupilia manet" in the enumeration of the principal islands found in the Cronaca Sagornina which makes no mention, however, of its former dimensions, but the information that has come down to us would seem to suggest that it must have been a great deal larger and more densely populated than it is today. The Barboloni, exponents of the faction that murdered Doge Pietro Tradonico in 864 while he was on an official visit to the Church of San Zaccaria, were confined here. But they were treated with unusual regard during this exile, for they were at liberty to use the island, its castle and vineyards as well as to pan for salt. Then, after a short time, they were granted an amnesty and amply compensated with the concession of vast territories on the Giudecca. The people of Poveglia were proud defenders of the lagoon at the time of the invasions by Pipino (854) and, according to legend, it was these acts of valour that earned them the privilege of remaining almost independent of the laws of the Republic: they were exempted from military costs and service except for those wars commanded by the Doge in person.

Perhaps on account of the island's small size due to the effects of bradyseism, perhaps because of a too ruthless disregard for authority in the person of the supreme Authority and towards the

sospetti nel 1378 durante la guerra di Chioggia, fatto si è che la Signoria credette opportuno di eliminare quella "autonomia regionale" e senza tante storie allontanò la popolazione e la distribuì nelle diverse contrade della città; così di autonomia regionale non se ne parlò più.

L'isola fu poi fortificata e poi ancora fu adattata a cantiere navale, ma sempre diminuendo di estensione e di importanza tanto che alla metà del secolo XV il Pievano viveva del sussidio dello Stato; l'antica Chiesa di S. Vitale, in condizioni rovinose, fu abbandonata e di essa rimane solo il Campanile.

Al principio di questo secolo fu sistemata a Stazione Sanitaria marittima, ed è ora convenientemente attrezzata per la quarantena di passeggeri provenienti da piroscafi contagiati.

rules of community living, perhaps because of the attitude of the inhabitants which gave rise to serious suspicion in 1378 during the War of Chioggia, whatever the reason, the Signoria thought it opportune to divest it of its "regional autonomy" and without more ado removed the population and distributed it among various parishes of the city; so ended its regional independence.

The island was then fortified and subsequently modified to provide a shipyard, but it continued to decline in importance and size so that by the mid-fifteenth century the parish priest lived on a state subsidy. The ancient church of San Vitale fell into ruin and was abandoned, and all that remains now is the steeple. At the beginning of this century, the island was turned into a maritime hospital and it is now comfortably fitted out to accommodate quarantined passengers from contaminated steamships.

POVEGLIA

Foto aerea di Poveglia. L'isola è divisa in tre parti. A destra l'ottagono. Al centro il gruppo ospedaliero. A sinistra la campagna coltivata a orti e vigneti.

Aerial shot of Poveglia. The island is divided into three sections: on the right the octagon, in the centre the hospital complex, to the left orchards and vineyards.

POVEGLIA

La bella vera da pozzo con la raffigurazione del leone stante e andante. Gli antichi abitanti di Poveglia godevano di moltissimi privilegi: uno dei quali il diritto di accompagnare il Doge il giorno dell'Ascensione con il Bucintoro.

The handsome well-head with the rampant lion of the Serenissima. The early inhabitants of Poveglia enjoyed many privileges, on of which was the right to accompany the Doge in the Bucintoro on Acension day.

POVEGLIA

L'entrata di uno dei padiglioni. Lo stato dei fabbricati si trova ancora in discreta salute. A differenza di altre isole continuo oggetto di vandalismi, Poveglia è custodita e preservata dal sig. Scarpi, guardiano volontario.

The entrance to one of the pavilions. These buildings are still in a reasonable state. Unlike the other islands that are a constant prey to vandals, Poveglia is protected and maintained by Sig. Scarpa, its volunteer custodian.

La facciata principale dell'ex Stazione Marittima Sanitaria operante fin dall'inizio del novecento.

The main facade of the Admissions building of the sanitarium complex, still operative up until the early 1900s.

114

POVEGLIA

Dice il Paoletti:"saluberrima n'è l'aria dell'isola avendo non di rado oltrepassato il secolo qualche suo abitatore". Sullo sfondo il campanile di S. Vitale usato come faro per il vicino porto di Malamocco.

According to Paoletti, "The air of the island was especially wholesome, and not infrequently some of its inhabitants passed their hundredth birthday." In the background the belltower of S. Vitale, which served as a lighthouse for the nearby port of Malamocco.

POVEGLIA

Veduta da una nave ormeggiata in quarantena. Anticamente uno dei privilegi più remunerativi degli abitanti era quello esercitato per il rimorchio delle navi nel Porto di Malamocco.

Picture taken from a quarantined ship moored offshore. Historically one of the more remunerative privileges of the inhabitants was the right of pilotage to and from the port of Malamocco.

Il giardino dell'ospedale dopo 10 anni d'abbandono. Infatti nel 1968 si chiude il cronicario per lungo degenti.

The garden of the hospital ten years after its abandonment. The closure of the last ward for long-term chronic cases dates back to 1968.

ISOLA DI S. ANGELO DELLA POLVERE

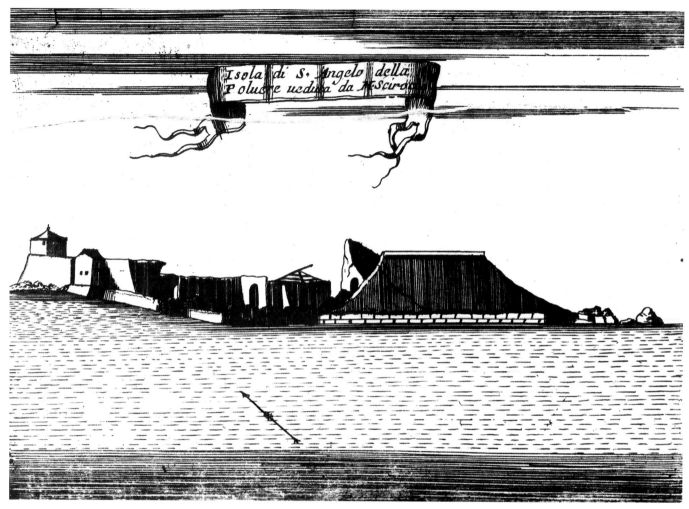

Isola di S. Angelo della
Polvere ucdisa da Sciroc

S.ANGELO DELLA POLVERE

Dall'incisione del Coronelli del 1696 S.Angelo della polvere (o di Contorta o della Misericordia) come appariva dopo il pauroso incendio del 1689 che la distrusse completamente. E l'unica stampa su quest'isola.

From a Coronelli engraving of 1696, S.Angelo della Polvere (also known as S.Angelo 'di Contorta' or 'della Misericordia') as it appeared after the terrible 1689 fire which destroyed all the buildings. This is the only known print of the island.

STORIA DI S. ANGELO DELLA POLVERE ATTRAVERSO LA DESCRIZIONE DI ALCUNI AUTORI
THE HISTORY OF S. ANGELO DELLA POLVERE ACCORDING TO THE DESCRIPTIONS OF VARIOUS AUTHORS

ERMOLAO PAOLETTI, *"Il Fiore di Venezia"*, VENEZIA, 1837, vol. I, 210.

Poco lunge da essa trovasi l'isola detta un tempo sant'Angelo di Contorta, e poscia sant'Angelo della polvere. Ebbe quel primo titolo da un monastero di monache dedicato a s. Michele Arcangelo, chel nel 1474 si rese celebre per la scioltezza delle sue abitatrici e per la caparbietà ed ostinazione loro nel far fronte a quanti le volevano riformare. Fu forza levarle di là e concentrarle nel convento della Croce della Giudecca. Per la qual cosa rimase bensì solitario il monastero, ma bramosi i pp. carmelitani della congregazione appellata di Mantova di piantar sede in Venezia, lo chiesero alle monache della Croce, e mediante piccoli censi presero ad abitarlo nel 1518. E lo abitarono per 36 anni finchè, avendo il senato destinata quest'isola tanto discosta della città alla fabbrica della polvere, i Carmelitani passarono a sant'Angelo della Giudecca e l'isola assunse il nome di s. Angelo della polvere. Nondimeno un fulmine (an. 1689) caduto in que' magazzini incendiò tutta l'isola, che circondata dapprima da grossa muraglia, con quattro torri ai quattro angoli e con un solo portone magnifico non divenne più che un mucchio di sassi. Rimessa però nel miglior modo possibile fu destinata ad altri usi, ma sempre con vari lavori conviene difenderla dalla corrosione delle correnti marine.

A short distance away is situated the island once called Sant'Angelo di Contorta, later Sant'Angelo della Polvere. The original name derived from a convent of nuns dedicated to the Archangel Michael, that in 1474 became infamous for the dissolute morals of its inhabitants and for their stubbornness and obstinacy in opposing those who would reform them. They had eventually to be removed by main force to the Convent of the Holy Cross on the Giudecca. The convent thus remaining deserted, the Carmelite fathers of the congregation of Mantua, anxious of a seat in Venice, petitioned the nuns of the Holy Cross for it, and, agreeing the payment of a modest rent, took up residence in 1518. They lived there for 36 years until the senate, on account of its distance from the city, ordained that the island be converted to a gunpowder factory. The Carmelites moved to Sant'Angelo della Giudecca and the island duly became known as S. Angelo della Polvere ('of the Gunpowder'). However, in 1689 a lightning-bolt struck the magazines and the whole island caught fire, its substantial perimeter walls, the four corner towers and the magnificent entrance being reduced to nothing but a heap of stones. In due course restored as far as was practicable, the island was used for a variety of purposes, but its upkeep required a constant vigilance against erosion from the fierce marine currents thereabouts.

RICCIOTTI BRATTI, *"Vecchie isole veneziane"*, VENEZIA, 1913, 48-51.

Di là dal Ponte, l'ampia laguna lambisce i margini della terraferma, toccando Fusina, il punto a cui giungevano un tempo tutte le imbarcazioni recanti viaggiatori e merci: si estende fino a Chioggia bagnando pur da quel lato isole dimenticate o ruinate completamente, tutte sedi in antico di Ordini religiosi. Così, non molto lungi da Poveglia, l'isola di san Marco di Bocca Lama, a breve distanza dalla quale sorgono sant'Angelo della Polvere a san Giorgio in Alga.

Sant'Angelo veramente negli antichi tempi era denominata di "Contorta" o di "Concordia", ed ospitava Monache Benedettine; ma verso la metà del secolo XV, essendosi "raffreddato l'antico fervore e subentrata la corruttella de' costumi, era il cenobio divenuto uno dei più liberi che allora ci fossero".

Ciò ricorda nelle sue 'Iscrizioni' il Cigogna, il quale accenna inoltre alle inevitabile lite avvenuta per l'ordine di abbandonare il Monastero, impartito dalla Curia Romana e da quella di Venezia, e il definitivo insediamento nell'isola dei padri Carmelitani (1518). Passati poscia i frati ad altro loro Convento della Giudecca, con

Away to the west, the vast lagoon laps the shores of the mainland, touching Fusina, the point whence all the vessels carrying travellers and merchandise used to embark: it extends as far as Chioggia, washing even from that side forgotten or ruinous islands, all the seats in former days of religious orders. It reaches then, not far from Poveglia, the island of San Marco di Bocca Lama, a short distance from which we find Sant'Angelo della Polvere and San Giorgio in Alga.

Sant'Angelo in former times was actually called Contorta or Concordia, and accommodated a community of Benedictine nuns, but towards the end of the fifteenth century, when their pristine ardour had cooled and immorality encroached, the convent became one of the most libertine that ever was.

All this is recorded in Cicogna's "Iscrizioni", where he also mentions the inevitable disputes that followed on the order that these nuns abandon the convent, emanating from both the Roman Curia and that of Venice, and the resettlement of the island

decreto del Senato della seconda metà del secolo XVI, sant'Angelo di Concordia parve luogo adatto alla fabbricazione della polvere ad uso dell'Artiglieria, assumendo da allora il nome di sant'Angelo della Polvere. Ma ai 29 agosto 1689 un fulmine faceva saltare gli ottocento barili custoditi nell'isola, ruinando tutte le fabbriche, così da non lasciar di sant'Angelo che rottami e sassi.

by Carmelite friars (1518). Later the friars were displaced to another of their priories on the Giudecca by a Senate decree of the second half of the sixteenth century as Sant'Angelo di Concordia seemed to be a suitably remote place for the manufacture of gunpowder for the Artillery, after which it assumed the name of Sant'Angelo della Polvere. But on 29th August 1689 a bolt of lightning ignited the eight hundred barrels of powder stored in the island, destroying all the buildings, so that nothing remained but scrap iron and tumbled stones.

EUGENIO MIOZZI, *"Venezia nei secoli"*, VENEZIA, 1957, vol. III, 226-227.

È detto anche de Contorta per una delle tante alterazioni che sono consuetudine nel parlare veneziano [anziche Concordia]. Nel 1060 il doge Domenico Contarini vi fondava chiesa e Monastero e li affidava all'abate del Monastero di S. Nicolò di Lido, anche questo da lui fondato; ospitò i Benedettini, poi i Carmelitani della Congregazione di Mantova e Brescia. Nel 1555 l'isola "dishabitata per l'incomodità del luogo e per l'intemperie dell'aria, fu consegnata al Senato all'artificio della polvere della casa dell'Arsenale per sicurezza de fuoco"; da allora si chiamò S. Angelo della Polvere; ma il 29 agosto 1689 un fulmine faceva saltare gli ottocento barili custoditi nell'isola facendo rovina di tutti gli edifici; oggi l'isola è abbandonata e di essa non rimangono che macerie.

This island was also called 'de Contorta' through one of the many distortions characteristic of the Venetian language (from 'Concordia'). In 1060 the doge Domenico Contarini founded there a church and a monastery, entrusting them to the care of the abbot of the Monastery di S. Nicolò di Lido, also his foundation. It housed first Benedictines and later Carmelites of the Congregation of Mantua and Brescia. In 1555 the island "uninhabited for the inaccessibility of the location and the inclemency of the atmosphere, was given by the Senate to the gunpowder division of the Arsenal, its remoteness affording the city security against fire". From then on it was called S. Angelo della Polvere, but on 29th August 1689 a bolt of lightning ignited the eight hundred barrels stored on the island destroying all the buildings. Today the island is abandoned and nothing remains but rubble.

S.ANGELO DELLA POLVERE

S.Angelo della Polvere dall'aereo, il nome deriva dai depositi di polvere da sparo che quivi esistevano fin dal 1554. L'isola si trova sul canale di Fusina non distante dalla terraferma.

An aerial shot of S.Angelo della Polvere. The name derives from the powder magazines maintained here until 1534. The island is in the Fusina canal, not far from the mainland.

S. ANGELO DELLA POLVERE

S. Angelo dal canale di Fusina (o Contorta). Nel 1060 il doge Contarini ne fonda un monastero. Nel 1518 le monache benedettine ivi residenti vengono trasferite di forza a Venezia a causa della corruttela dei loro costumi.

S. Angelo from the Fusina (or Contorta) canal. In 1060 the Doge Domenico Contarini founded a monastery here. In 1538 the Benedictine nuns then resident were forcibly removed to Venice on the grounds of depravity.

S. ANGELO DELLA POLVERE

Nella specifica del Piano Regolatore Generale l'isola sarebbe destinata al verde pubblico.

The 'General Regulatory Plan' has designated the island 'Public Greenspace'.

S. ANGELO DELLA POLVERE

L'edificio che serviva per ricovero dei militari sull'angolo sud.

The building on the southern corner of the island that served as a military hospital.

S. ANGELO DELLA POLVERE

I solidi muri maestri di uno dei capannoni resistono all'urto del tempo.

The solid perimeter walls of one of the barns stand firm against the ravages of time.

ISOLA DEL LAZZARETTO VECCHIO

XII. ISOLA DEL LAZZERETTO VECCHIO.

LAZZARETTO VECCHIO

L'isola secondo la stampa settecentesca del Visentini. La chiesa ed il campanile erano intitolati a S. Maria di Nazareth da cui la tradizione vuol derivare il nome Lazzaretto.

The island in the eighteenth century, from a Visentini print. The church and belltower were dedicated to St.Mary of Nazareth, from which tradition would have the word 'lazaret' derive.

LAZZARETTO VECCHIO

Incisione ottocentesca del Filosi per il " Teatro delle Fabbriche" di G.B.Albrizzi.

19th century engraving by Filosi for Giambattista Albrizzi's Teatro delle Fabbriche.

LAZZARETTO VECCHIO

Il Lazzaretto Vecchio visto dal Lido secondo la stampa del Bernasconi del 1840 circa. Sulla sinistra la caratteristica casa sopra la cavana.

View of the Lazzaretto Vecchio from the Lido after a Bernasconi print from around 1840. On the left the characteristic caretaker's quarters over the boathouse.

STORIA DEL LAZZARETTO VECCHIO ATTRAVERSO LA DESCRIZIONE DI ALCUNI AUTORI
THE HISTORY OF LAZZARETTO VECCHIO ACCORDING TO THE DESCRIPTIONS OF VARIOUS AUTHORS

ERMOLAO PAOLETTI, *"Il Fiore di Venezia"*, VENEZIA, 1837, vol. I, 190-192.

Da Poveglia, in giù scendendo, incontrasi per prima isola il Lazzaretto vecchio. Ignoto è il tempo in cui gli eremiti della regola di s. Agostino fermassero quivi la sede. Si sa nondimeno che nel 1249 un chiesa qui da loro ufficiata col titolo di s.Maria di Nazaret, forse perché accoglievano e assistevano i peregrini infermi quando o scioglievano per Terrasanta o di là facevano ritorno. Ma indi venne a scemarsi di tanto il loro numero che nel 1423 non vi restava più che un fra Gabriele de Garofoli spoletano con quattro novizi di stirpe patrizia. Accadde allora che Venezia fosse orribilmente attaccata dalla pestilenza. Il perché il senato col consiglio di s. Bernardino da Siena pensò convertire l'isola (an. 1423), come remota, al ricetto delle persone e delle merci infette di pestilenza. Fra Gabriele adunque coi quattro suoi seguaci fu inviato prima nell'abazia di s. Daniele in Monte nella diocesi padovana, ma ritornato coi compagni alle lagune fondò nell'isola di s. Spirito la congregazione dei canonici regolari.

Tolta l'isola agli eremitani, la repubblica, riserbandosene il iuspatronato, istituì un ospedale a cui assegnò gli edificii, gli orti, i proventi ed i diritti del monastero soppresso. Ivi, in due parti divisi, si ammisero i poveri d'ambo i sessi travagliati dai morbi e fu prescritto che l'ufficio del sale somministrasse loro vitto e medicine. Quattro serventi si destinarono per gli uomini, quattro per le femmine, un cappellano ed un priore al quale correva l'obbligo di visitare almeno una volta al giorno gl'infermi, ed al paro de' suoi dipendenti, doveva portare affisso al petto un segno bianco in forma di stella.

Probabile cosa è che l'ospedale non avesse lunga durata. Imperrochè, trovando utile (an. 1456) il senato la instituzione di un luogo di contumacia delle merci e per passeggeri, provenienti dall'Oriente, dispose l'isola a quest'uopo e la denominò lazzaretto, forse, come vogliono alcuni, per corruzione dell'antico Nazaretum o forse perché s. Lazzaro appellavasi anche quest'isola che accoglieva i lebbrosi. A questo lazzaretto si aggiunse il titolo di vecchio allorché nel 1468 decretossi l'erezione dell'altro lazzaretto a costa del lido di s. Erasmo, che come posteriore chiamossi nuovo.

E perché nel 1348 nominavansi del maggior consiglio tre nobili con titolo di savi ad ogni apparire di peste fu invece nel 1485 creata una magistratura perpetua, detta della sanità con grandissimo potere per istatuire le leggi e per farle osservare. Ad essa si commise la direzione di questo e degli altri lazzaretti, che primi piantati in Venezia diedero pur primi l'esempio a tutte le genti di quelle saggie e minute provvidenze, stabilite per la salute dei popoli.

La figura di quest'isola è un quadrilungo di circa 200 passi nei

Proceeding southward from Poveglia, the first island which we encounter is the Lazzaretto Vecchio (Old Lazaret). It is not known when hermits of the order of St. Augustine first settled here. We do know however that in 1249 there was a church where these friars officiated with the name of St. Mary of Nazareth, perhaps because they sheltered and cared for such pilgrims as had fallen sick when embarking for, or returning from, the Holy Land. Subsequently there was such a decline in their numbers that by 1423 there remained only a certain Fra Gabriele de Garofoli from Spoleto with four novices of noble origin. It happened at this time that Venice was terribly afflicted by a plague. Thus the Senate on the advice of S.Bernardino of Siena thought to convert the island (1423), being remote, to receive people and goods infected by the epidemic. Friar Gabriele, with his four followers, was therefore sent first to the Abbey of San Daniele in Monte in the diocese of Padua, although later returning with his companions to the Lagoon, he founded a congregation of regular canons on the island of S. Spirito.

Having ejected the hermits, the Republic, retaining direct control over the island, established a hospital to which it consigned the buildings, the orchards, the income and the rights of the suppressed monastery. Here were admitted infected paupers of both sexes, in separate sections, and it was decreed that the Salt Magistracy should provide them with food and medicines. Four servants were appointed for the men and four for the women, also a chaplain and a prior, who was required to visit every patient at least once a day and together with all his complement had to bear on his breast a white sign in the shape of a star.

It seems that this hospice did not last long. In fact, in 1456, the Senate, finding it opportune to establish a place of quarantine for goods and people coming from the East, turned the island to this purpose and naming it a 'Lazzaretto', perhaps as some claim a corruption of the word Nazareth or perhaps because S. Lazzaro was the name of the island where lepers were accommodated. To this 'Lazzaretto' was added the title of "Old" when in 1468 another was created beside the lido of S. Erasmo and, as the second comer, was dubbed "New".

Since 1348 the Great Council had been in the habit of nominating three nobles with the title of "Savii" (wise men) whenever there was an outbreak of the plague, but in 1485 a permanent office of health was created which was allowed considerable powers to make and implement regulations. This office was given charge of this and other "lazzaretti" which

maggiori lati e di 100 ne' minori. Un ponte la congiunge ad altra isoletta seminata di ortaglie, nella quale sorge una conserva di polvere con presso un alloggio pei soldati di custodia. Sotto il ponte scorre un canale da cui si scende nell'isola; e scendendo s'incontra prima una piazzetta, ove si veggono le abitazioni del priore, del suo assistente, i magazzini degli attrezzi, ed il serbatoio d'acqua per l'espurgo delle cere e delle spugne. S'apre ivi l'ingresso alle due più antiche gallerie nelle quali gli uomini sospetti esaurivano la quarantina. Sulla porta loro vedesi un basso rilievo rappresentante s. Marco, ed i ss.Rocco e Sebastiano protettori contro la pestilenza.

Dalla piazzetta si passa in un cortile che fu già l'antico chiostro. I due lati si formano dalle abitazioni riserbate un dì ai baili di Costantinopoli a' provveditori generali, ed a' rettori veneti che rimpatriavano dal levante. Il terzo lato si forma dalla chiesetta. Ella è piuttosto umile che semplice. Chiusi sedili la circondano e la divide una serie di recinti, nei quali sono separati i passeggeri provenienti da paesi diversi. Sino ai principii del secolo scorso avea un solo vecchio altare; ma nel 1716, per opera de' divoti, ne fu in sua vece uno edificato ad imitazione di quello della Salute colla statua della Vergine avente ai lati le due figure di Venezia orante e della Peste fuggitiva. Due minori altari eziandio furono in seguito aggiunti, l'uno di s.Rocco e l'altro di s.Sebastiano. Su questo ultimo per ordine del senato si pose l'imagine di s. Bernardino, non solo per la caritatevole sollecitudine verso gli appestati, ma per le esortazioni date al senato per l'erezione del primo lazzaretto.

Oltre il chiostro descritto trovasi un secondo cortile intorno al quale si edificarono gli appartamenti pe' passeggeri. E possono, senza disagio e senza timore di contatto, abitarvi sino a 100 dal tramonto al levare del sole in camerette del tutto simili, le quali mettono sopra una loggia di molteplici accessi, con parecchie divisioni ad impedimento delle comunicazioni reciproche.

Al secondo cortile segue una via attraversante tutta la lunghezza dell'isola e che fa capo a sette praticelli, lungo i quali si stendono sette ampie tettoie sbarrate da cancelli di legno e distinte secondo le varie contumacie. Nella prime si difendono le merci dalle ingiurie delle pioggie e dall'ardore del sole, nei secondi si rimuovono, si sbattono, si sciorinano, si asciugano le stesse merci giusta i prescritti regolamenti. Arbusto non vi si lascia crescere, animale domestico non può vagarvi, spesso si falcia l'erba, affinché fiocchi di lana, di cotone, ec. non si rapprendano.

Alle estremità stanno infine le abitazioni del guardiano e dei facchini ai quali non è lecito uscire, finché compito non sia il termine assegnato all'espurgo degli oggetti ad essi affidati.

institutions were first created in Venice and were to become an example to all of wise and detailed procedures established for the health of the populace.

The island is oblong in shape, some 200 paces long by 100 paces wide. A bridge links it to another small island planted with vegetable gardens, where there is now also a gunpowder store with a guardhouse nearby. Under this bridge runs a canal which affords access to the island; on coming ashore the visitor first encounters a small square where he will see the prior's and his assistants' dwellings, stores of equipment and the water tank for the cleansing of the waxes and sponges. From here opens the entrance to the oldest galleries where those feared infected endured their quarantine. Over the door there is a bas-relief representing St Mark, St Roche and St Sebastian, protectors against the plague.

From the square he moves on into a courtyard which had been the cloister. Two sides were formed by the lodgings reserved for the Baili of Constantinople, High Commissioners and Venetian rectors repatriating from the East. A third side was occupied by a small church, rather humble, in style. It was ringed by closed booths into which travellers coming from different countries were segregated. Until the start of the last century there was only a single ancient altar; but in 1716 a new one was erected by devotees, similar to the one in the Salute church, with a statue of the Virgin flanked by two figures representing Venice supplicating and the Plague departing. Two smaller altars were later added, one to S.Rocco and the other to St. Sebastian. On the latter an image of S. Bernardino was placed by order of the Senate, not only on account of his own charitable work with the plague sufferers, but in recognition of his solicitations to that body which had resulted in the creation of this first "lazzaretto", or plague hospital.

In addition to the aforementioned cloisters, lodgings for the travellers were also built around a second internal courtyard. Up to 100 souls could repose here comfortably from sunset to dawn without fear of contamination, in small rooms one like the other, above which there was a loggia with many entrances, so partitioned as to debar reciprocal contacts.

Beyond this courtyard a road crosses the whole length of the island and leads to seven small meadows on which are disposed seven ample barns with barred wooden gates differentiated according to the state of contamination of their merchandise. In the first barns goods are protected from the rain and the sun, in the others those same goods are shaken out, scoured and dried according to the prescribed regulations. No bush is allowed to grow, no domestic animal to wander; the grass is cut often so that no flocks of wool or cotton can become entangled therein. At the far end are the living quarters of the guards and the porters, who are not allowed to quit the island until they have completed the period assigned for the disinfection of the material in their care.

LUIGI CARRER, *Isole della laguna e Chioggia, in "Venezia e le sue lagune"*, VENEZIA, 1847, vol. II, 498.

Due isole delle nostre lagune s'intitolavano con questo nome, ne parleremo in un solo articolo, sebbene una, il Lazzaretto vecchio, sia tra quelle poste a mezzo giorno, l'altra il Lazzaretto nuovo, tra quelle che rispondono a tramontana.

Il Lazzaretto vecchio fu primamente abitato dagli Eremitani; senza che altro però si sappia, fuorché d'una chiesa consacrata a Santa Maria di Nazaret, e sussistente fino al 1249; la quale ebbe per avventura tal nome da' pellegrini che scioglievano per Terra Santa, o di là tornavano, e nell'isola erano accolti e medicati se infermi.

Circa due secoli dopo, nel 1423, per consiglio ancora di San Bernardino da Siena, il senato deliberò di destinare essa isola, perché rimota, a ricetto di persone e merci tocche da pestilenza; non più restatovi degli Eremitani che un solo frate con quattro novizi. Cangiato pure volevasi il nome antico della chiesa in quello di Santa Maria Stella del Cielo. Per altro l'antico nome prevalse, e continuò l'isola a chiamarsi "Nazaretum", donde il Mustoxidi deriva la voce Lazzaretto, a differenza del Muratori, che trae da san Lazzaro protettore de' lebbrosi e degli ospedali, e certo meglio del Volney, che stranamente vorrebbe dedurla dallo spedale El Hazar presso la moschea de' Fiori al Cairo. Anche il nome di colui che fu primo priore nell'isola, l'anno 1436, cioè Jacopo de' Lanzeroti, diede qualche appicco a nuova etimologia, ed altre forse ancora se ne troverebbero; non però migliori di quella del Mustoxidi suaccennata, o dell'altra, se vuolsi, del Muratori.

Delle quali e delle altre abbiamo parlato a dilungo, perché trattasi di nome, che, partitosi in prima dalla città nostra, resasi benemerita del mondo tutto in materia sì delicata, si fece poscia usitato in più lingue. Non bastando poi all'intento un'isola sola, ne fu scelta un'altra, affinché coloro che uscivano dalla prima liberati, o riconosciuti non colti dal malore, dimorassero in questa alcun tempo. S'intitolò questa seconda Lazzaretto nuovo.

Two of the islands of our Lagoon had this name and we will examine them under the one head, although the Lazzaretto Vecchio is among those in the southern part and the other, Lazzaretto Nuovo, in the northern.

The Lazzaretto Vecchio was first inhabited by a hermit order of whom we know little but that they had here a church consecrated to St Mary of Nazareth, which existed until 1249. It seems that it acquired its name by happenstance from pilgrims who were leaving for or returning from the Holy Land, and were welcomed on this island and cared for when sick.

Some two centuries later, in 1423, on the advice of St Bernard of Siena the Senate decreed that this island, being remote, receive people and goods affected by the plague. Of the original hermits there then remained only one friar with four novices. Also the old name of the church was to be changed to S. Maria Stella del Cielo. However the old name persisted and the island continued to be called "Nazaretum", whence Mustoxidi claims the name "Lazzaretto" derived. On the other hand Muratori would have the name come from St Lazzaro protector of lepers and hospitals, which is to be preferred to Volney's bizarre supposition that the name recalls the hospital of El Hazar near the 'Flower Mosque' in Cairo. Finally, the name the first prior of the island in 1346, Jacopo de Lanzeroti, might suggest yet another etymology, and no doubt others could be found, but none preferable to that of Mustoxidi, cited above, or if you will, Muratori's.

We have dwelt at some length on these possible derivations of the word 'Lazzaretto', because this was a name first heard here in our city in connection with the treatment of the plague, and which has since passed into other tongues. In due course, one island proving insufficient for the purpose, another was chosen where those leaving the first island apparently cured, or recognized unaffected by the plague, could sojourn for a further period of quarantine. This island was called Lazzaretto Nuovo.

POMPEO MOLMENTI e DINO MANTOVANI, *"Le isole della laguna veneta"*, VENEZIA, 1895, 53-57.

Peggior desolazione all'isola del Lazzaretto, la quale veramente non fu mai luogo allegro, ma ha una storia interessante nella sua tristezza. Gli Eremitani vi eressero, nel 1249, una chiesa col titolo di Santa Maria di Nazaret, e un ospizio per i pellegrini di Terrasanta. Più tardi la Repubblica, afflitta in quel secolo da orribili pestilenze, pensò di convertire l'isola in un ricetto di persone e di merci infette da morbi contagiosi. Con le rendite dell'Ufficio del Sale si somministrarono ai malati il vitto e le medicine, si provvide l'ospizio di medici e di infermieri.

Fu questo, si può dire, il primo istituto di tal genere fondato

Worse still is the desolation we find in the island of Lazzaretto, which was in truth never a place of happiness, but which has for all that an interesting story in its sadness. Hermit Friars had in 1249 erected a church to Saint Mary of Nazareth and a hospice for pilgrims travelling to the Holy Land. Some two centuries later the Republic, afflicted then by terrible plagues, thought to make the island a centre for people and goods affected by contagious diseases. Out of the revenues of the Salt Office food and medicines were provided to the patients, and the hospice staffed with doctors and nurses.

in Europa e nel mondo cristiano; e infatti diede il suo nome, da Santa Maria di Nazaret mutato in Nazaretum e quindi volgarizzato in Lazzaretto (secondo un'opinione probabilissima di Andrea Mustoxidi), a tutti gli altri spedali di appestati, sorti in appresso nell'Italia e fuori.

Così Venezia offriva prima al mondo anche l'esempio di questi istituti di polizia medica, e sapeva custodire la pubblica sanità con apposite magistrature e con leggi piene di finissima previdenza. E poiché, fin dalla peste del 1348, si eleggevano tre nobili col titolo di Savi ad ogni comparsa del flagello, fu nel 1485 creato un permanente Magistrato di sanità, al quale si debbono quei provvidi regolamenti, per cui Venezia anche in questa materia porta la palma su tutti gli altri vecchi governi.

Certo non è a dire che la Repubblica non commettesse errori in questa come in tante altre cose; ma chi non è soggetto ad errare? Anzi è curioso vedere come, nella famosa pestilenza del 1629, descritta dal Manzoni, i portamenti dei magistrati e dei sudditi fossero purtroppo assai simili tanto in Venezia, dove pur c'era un governo rispettato e rispettabile, quanto in Milano, dove tutta la compagine politica veniva sfasciandosi insieme con la potenza della Spagna.

A Milano pare che la peste fosse portata da un soldato italiano al servizio di Spagna, il quale entrò con un gran fagotto di vesti comprate o rubate a soldati alemanni, andò a fermarsi in una casa di certi suoi parenti, ammalò e morì, comunicando il male a quanti l'avevano assistito. A Venezia invece il fatale portator di sventura fu un personaggio ragguardevole, il marchese di Strigis, inviato dal duca di Nevers all'imperatore Ferdinando II con ricchissimi doni tra cui una "trabacca (padiglione) jojelata per regalo".

Il marchese di Strigis, che aveva anche una missione da compiere presso la Serenissima, giunse a Venezia il giorno 8 giugno del 1630, e andò a scontare la contumacia non a Santa Maria di Nazaret, piena di infermi, ma a San Clemente. Dopo due giorni ammalò di peste, e morì lasciando appestati anche il suo cameriere e cinque altri servi. " Matteo Tininello, marangone", dice una relazione contemporanea nelle "Memorie venete" del Gallicciolì, " che aveva lavorato a San Clemente, con suo figliuolo e moglie morì, e parecchi altri della sua contrada di Sant'Agnese, con una lavandaia alla quale gli Ebrei avevano consegnate certe biancherie, prima e dopo di consegnar le quali, quella donna, che stava sotto il portico che va alle Zattere disse che gli Ebrei si erano lavate le mani con l'aceto". Breve: il contagio scoppiò terribile e in sedici mesi si portò via circa quarantasette mila persone.

Ora vi rammentate che a Milano, come narra il Manzoni, non si voleva decidersi a riconoscere che il male fosse vera e propria peste? " In principio non peste, assolutamente no, per nessun conto: proibito anche di proferire in vocabolo. Poi, febbri pestilenziali; l'idea s'ammette per isbieco in un aggettivo. Poi, non vera peste; vale a dire peste sì, ma in un certo senso: non peste proprio, ma

One can say that this was the first institution of its kind established in Europe, or indeed in the whole Christian world; in fact it was to lend its name to all other plague hospitals subsequently founded in and beyond Italy. The name evolved from Santa Maria di Nazaret into Nazaretum and then colloquially Lazzaretto, according to a plausible theory advanced by Andrea Mustoxidi.

Thus Venice was the first to offer the world such the example of such medical institutions for the safeguarding of public health within an appropriate administrative framework with preventative laws. Since the plague of 1348 three noblemen with title "Savi" (Wise Men) had been elected at each outbreak of the plague, but in 1484 a permanent health magistracy was created to which we owe those prudent measures for which Venice was also in this field the superior of all other governments.

Certainly one cannot say that the Republic made no mistakes in this area as in many others, but who is not prey to error? It is interesting to note how in the famous plague of 1629, as described by Manzoni, the behaviour of both magistrates and the people was unfortunately very similar both in Venice, where there was a respected and respectable government, and in Milan, where the whole political structure was falling apart at that time together with the power of Spain.

In Milan it seems that the plague was introduced by an Italian soldier in the service of Spain, who entered Italy with a large bundle of clothes bought or stolen from German soldiers. He stopped in a house of some relations of his, fell ill and died, infecting with the disease those who had cared for him. In Venice by contrast the fatal carrier of misfortune was a distinguished figure, the Marquis of Strigis, sent by the Duke of Nevers to the Emperor Ferdinand II with "very sumptuous gifts, among which was a bejewelled pavilion".

The Marquis of Strigis, who also had a mission to accomplish with the Serenissima, arrived at Venice on 8th June 1630 and served his quarantine not at Santa Maria di Nazaret, which was overfull with the sick, but at San Clemente. After two days he fell ill with the plague and died, passing on the plague to his manservant and five other domestics. A contemporary account in Gallicciolì's "Venetian Memoirs" reads: " One Matteo Tininello, bricklayer, who worked at San Clemente with his son and his wife, died and several others from his area of Sant'Agnese, together with a washer-woman to whom the Jews had given some linen. This woman, who lived under the portico which leads to the Zattere, stated that the Jews before and after handing the linen had washed their hands with vinegar." In brief, the contagion spread ferociously and in sixteen months had carried off some 47,000 people.

You will remember how in Milan, as Manzoni narrates, there was a general reluctance to recognize that the disease was really the plague:"At the beginning no plague, absolutely not, on

una cosa alla quale non si sa trovare un altro nome. Finalmente, peste senza dubbio e senza contrasto". Il medesimo seguì a Venezia; anzi, mentre a Milano il protofisico Ludovico Settala ed altri medici dichiaravano fin dal principio, contro l'opinione volgare, la vera e propria natura del morbo, a Venezia un congresso di trentasei professori, tra i quali il celebre Santori di Capodistria, affermò che quella non era peste; e così il terribile morbo potè sterminare la gente a suo bell'agio.

Dove più gli uomini s'assomigliarono fu nella crudeltà e nella barbarie. L'arte inimitabile del Manzoni descrisse con una potenza raccapricciante le orrende scene de' monatti: leggendo le molte descrizioni della peste veneziana del 1630, benché non avvalorate dall'arte si prova lo stesso senso d'orrore. Saccheggiate le case, tormentati gli agonizzanti, gettati insieme coi morti nella fossa quelli che respiravano ancora, nefandamente violati i cadaveri. L'inumanità e la ferocia erano più forti dei castighi, giacchè la Repubblica non risparmiava patiboli, e le forche erette qua e là per le piazze avevano sovente i loro lugubri pendagli.

no account, the very mention of the word is prohibited. Then, with 'pestilential fevers' the disease is allowed in sidelong, as an adjective. Then, not the real plague, that is to say the plague yes, but only in a certain sense, not the real thing, but something for which an appropriate term has yet to be found. Finally, a plague undoubtedly and beyond contradiction". The same thing happened in Venice; moreover while in Milan the chief medical officer Lodovico Settela and other doctors declared from the start, contrary to common opinion, the true nature of the disease, in Venice a committee of thirty-six professors, among whom sat the famous Santorio of Capodistria, stated that this was not the plague; and so the disease was given free rein to massacre at will.

Where men differed little was in their deeds of cruelty and barbarity. The inimitable art of Manzoni describes with flesh-creeping power frightful scenes involving the pitiless corpse-carriers, and reading the many descriptions of the Venetian plague of 1640, even without the aid of Manzoni's art, we feel the same sense of horror. Houses were looted, the moribund were tormented, those still-breathing were thrown together with the dead into common graves, corpses were violated. Inhumanity and ferocity proved stronger than the punishments meted out, for the Republic did not stint the gallows, and gibbets erected here and there in the squares not infrequently sported a melancholy cargo.

EUGENIO MIOZZI, *"Venezia nei secoli"*, VENEZIA, 1957, vol. III, 232.

L'Isola del Lazzaretto vecchio va ricordata non tanto per quella povera isola che essa è, tanto perché testimonia una delle più antiche istituzioni di polizia sanitaria: in questa nel 1249 gli Eremitani costruirono la Chiesa di Santa Maria di Nazaret e un ospizio per i pellegrini diretti in Terrasanta; ma poi la Repubblica vi stabilì un ricetto di persone e merci infette da morbi contagiosi, provvedendo ai ricoverati vitto, medicine ed assistenza e destinando per queste spese una parte dei proventi dell'Ufficio del Sale.

Durante la peste del 1348 furono eletti tre nobili col titolo di Savi per fronteggiare il flagello e provvedere alle necessità conseguenti, e queste nomine furono ripetute ad ogni manifestazione di nuovi contagi; poi nel 1485 fu creato un permanente Magistrato di Sanità al quale si debbono quei provvedimenti di precauzione, visite, quarantene, ecc. che furono poi, sull'esempio di Venezia, adottati da quasi tutte le nazioni marinare.

The Lazzaretto Vecchio is worthy of note, not as the miserable island we see today, but in that it bears witness to one of the most ancient instruments of public health care. Here in 1249 Hermit Frairs had erected a church to Saint Mary of Nazareth, and a hospice for pilgrims travelling to the Holy Land, but subsequently the Republic established in its stead a clearing-house for people and goods suspected of contagion, providing inmates with food, medicines and assistance, and diverting for this purpose a portion of the revenues of the Salt Office.

During the plague of 1348 three nobles were appointed as "Wise Men" to confront the scourge and oversee the provision of contingent necessities, and this procedure was followed at every new outbreak of infection until in 1485 a permanent Health Magistracy was created, to which office we owe all those preventative measures, inspections, quarantines, etc., which were later, following Venice's example, to be adopted by all the maritime nations.

Immagine aerea del Lazzaretto Vecchio. L'isola ricchissima di fabbricati, rappresenta uno dei primissimi esempi nella storia della sanità civile.

Aerial view of the Lazzaretto Vecchio. The island's imposing buildings testify to its historical importance as a groundbreaking public health initiative.

LAZZARETTO VECCHIO

Il Lazzaretto dal canale delle Scoasse. Gli 8400 mq. di fabbricati sono stati abbandonati dai militari negli anni sessanta.

The Lazzaretto from the Scoasse canal. The 8400 sq.metres of sound buildings were abandoned by the military in the sixties.

LAZZARETTO VECCHIO

La vastità di uno dei capannoni. Fra i progetti previsti per quest'isola distante 200 m. dal Lido, quello di impianti sportivi.

The vast interior of one of the warehouses. One of the mooted projects (in 1978) for the future of this island, only 200 metres off the Lido, is a sports complex.

LAZZARETTO VECCHIO

Il cortile di entrata.

The entrance courtyard.

141

Il canale d'approdo, con la caratteristica cavana e sopra la casa di custodia.

The access canal, with the characteristic carteker's premises over a boathouse.

142

Sullo sfondo di questo scorcio vediamo la terrazza sulla laguna, oggi in cattive condizioni; la si può notare sulla destra delle antiche stampe, poiché questa era la facciata principale dell'isola.

In the background of this shot we can see the terrace overlooking the lagoon, now in poor condition. Fronting on the main facade of the island, it appears to the right of the older prints.

La terrazza sulla laguna.

The terrace over the lagoon.

I Santi Sebastiano, Marco e Rocco (protettori contro la peste) sopra l'ingresso di uno dei padiglioni del vecchio ospedale.

S. Sebastian, S. Mark and S. Roche (saint-proctectors against the plague) over the entrance of the old hospital buildings.

ISOLA DI SAN GIACOMO IN PALUDO

S. GIACOMO IN PALUDO

Prospettive dell'isola da Levante e da Ponente tratte dall'Isolario del Coronelli. Con L'ubicazione del convento, campanile, chiesa, foresteria, orti dei padri, pontile e capitello. S. Giacomo si mantenne così fino al 1810.

Views of the island from the East and the West, taken from Coronelli's Isolario. *The layout of monastery, belltower, church, guesthouse, orchard, landing jetty, remained the same until 1810.*

X. ISOLA DI S. IACOPO DI PALUDO.

Appo T.

S. GIACOMO IN PALUDO

S. Giacomo in Palude era così chiamata perché il primo convento si ricavò "da un ampio spazio di palude". Sulla sinistra di questa incisione di A. Visentini del 1777 si nota il singolare mendicante che in quel periodo con lunghissima canna chiedeva l'obolo ai passanti.

S. Giacomo in Palude was so named because the first convent area was carved out of "a large expanse of marsh (palude)". On the far left of this 1777 Visentini print we can see the resourceful mendicant who begged for alms at that time with a bag at the end of a long stick.

S. GIACOMO IN PALUDO

Dopo la peste 1456, l'isola era stata oggetto di una disposizione del Senato che ne ordinava il restauro con i materiali provenienti dai demoliti monasteri dall'isola di Ammiana. Dalla stampa del Tironi si nota l'aspetto fiorente dell'isola.

After the plague of 1456, the island was the subject of a Senate resolution ordering the restoration of the convent using materials from the demolished monasteries of the island of Ammiana. We see in this Tironi print the island at its most flourishing.

STORIA DI SAN GIACOMO IN PALUDO ATTRAVERSO LA DESCRIZIONE DI ALCUNI AUTORI
THE HISTORY OF SAN GIACOMO IN PALUDO ACCORDING TO THE DESCRIPTIONS OF VARIOUS AUTHORS

ERMOLAO PAOLETTI, *"Il Fiore di Venezia"*, VENEZIA, 1837, vol. I, 132-133.

Più oltre di quest'isola, tra Murano e Mazorbo, evvi quella di s.Giacomo in palude dove nel 1046 Orso Badoaro concesse a Giovanni Trono di Mazorbo ampio spazio di palude, perchè ad onore di s.Giacomo maggiore apostolo ergesse uno spedale ad accoglimento de' pellegrini e de' passeggeri nelle procelle della laguna. Breve fu la durata dello spedale, dacchè, non ancora trascorso un secolo, introdotte vi furono monache cisterciensi. Ma rallentatasi in esse la primiera osservanza se ne diminuì siffattamente il numero che nel 1440, rimaste due sole nel cadente monastero, si ritirarono in quello di s.Margherita di Torcello ove professavasi lo stesso istituto.

Afflitta intanto Venezia nel 1456 da gravissima peste stabilì il senato che da s. Lazzaro (isola assegnata ai risanati dalla peste), si trasportassero a s.Giacomo di palude i lebbrosi, i quali rimessi pur furono a s.Lazzaro al cessare del flagello. Così rimanendo deserto il chiostro di s. Giacomo, lo dava il senato al p. Francesco da Rimini dell'ordine de' minori col patto che ne cedesse porzione delle rendite a s.Margherita di Torcello a cui era già stato incorporato. Ingratamente corrispose il religioso alla fiducia in lui concetta, perchè affittò le rendite, abbandonò il chiostro e ritornossi a Rimini. Paolo II, avutane la notizia nel 1469, privollo solennemente del priorato e sancì piuttosto l'institituzione colà di una casa regolare de' minori conventuali che rese filiale della casa grande detta di s. Maria gloriosa de' frari di Venezia. Ultimamente però vi abitava un solo religioso, il quale celebrava nelle feste, e nelle procelle della laguna accoglieva nell'ospizio i passeggeri. Colla soppressione del convento dei Frari nel 1810 naturalmente anche questa casa filiale ben presto fu soppressa e demolita.

Beyond this island, between Murano and Mazorbo, there was that of San Giacomo in Paludo, where Orso Badoaro in 1046 gave Giovanni Trono of Mazorbo a large tract of marshland, so that he could establish there a hospice in honour of the apostle St. James the Greater for the lodging of pilgrims and travellers caught in the tempests of the lagoon. Brief indeed was the life of this hospice, in fact less than a century had passed before Cistercian nuns were instead installed. But owing to an ever laxer observance their numbers declined so far that in 1440, with only two nuns remaining in the decaying convent, these were transferred to S. Margherita di Torcello of the same order. Subsequently, when in 1456 Venice was afflicted by a violent plague, the Senate declared that from S.Lazzaro (the island now designated for those recovering from that scourge) the lepers there resident should be transferred to San Giacomo in Paludo, whence these unfortunates were duly returned to San Lazzaro at the end of the epidemic. After which, the cloisters of S.Giacomo remaining deserted, the Senate gave them over to one father Francesco da Rimini of the Minors on condition that he cede a part of the income to the convent of S.Margherita of Torcello, to which they had been previously assigned. With small gratitude the prelate rewarded the trust thus given him by farming out the income, abandoning the cloister and returning in short order to Rimini. Paul II, on hearing this news in 1469, formally stripped him of the priory and sanctioned the establishment of a house dependent on Santa Maria Glorioso dei Frari of Venice. Latterly however there was but a single priest resident, who celebrated mass on feast days and gave shelter in the hospice to those travellers surprised by storms in the lagoon. Following the suppression of the Frari monastery in 1810, this convent was duly in its turn suppressed and demolished.

LUIGI CARRER, Isole della laguna e Chioggia, in "Venezia e le sue lagune", VENEZIA, 1847, vol. II, 501-502.

Nel 1046, Orso Badoaro concesse a Giovanni Trono di Mazorbo ampio spazio di palude perch'ivi fosse eretto uno spedale in onore di san Giacomo maggiore apostolo, ad accogliervi i pellegrini, e quelli che fossero sbattuti dalle tempeste della laguna. Poca durata ebbe lo spedale, e vi succedettero invece, trascorso appena un secolo, monache cistercensi. Ridotte nel 1440 a due sole, furono trasferite nel monastero di Santa Margherita di Torcello, abitato dallo stesso ordine.

In 1046 Orso Badoaro gave to Giovanni Trono of Mazorbo a large expanse of marshland so that a hospice could be erected here in honour of the apostle St.James the Greater, to shelter pilgrims and those caught in the storms of the lagoon. This hospice did not long survive: it was replaced after barely a century by Cistercian nuns. Reduced in 1440 to only two sisters, these were transferred to the convent of S.Magherita of Torcello of the same order.

Poi, quando nel 1456 fu Venezia afflitta da fierissima pestilenza, vennervi condotti i lebbrosi, dimorati prima in San Lazzaro, dove ricondotti, l'isola di cui parliamo rimase deserta. V'ebbero per alcun tempo minori Conventuali, finchè ridottosi a piccolissimo il numero di questi, la casa regolare fu considerata filiale di quella dei Frari, ed ebbe un solo frate a dirvi la messa le feste, e a dar ricovero a' pericolanti per burrasca. Soppresso il convento dei frari nel 1810, la casa filiale venne anch'essa naturalmente a mancare affatto.

Then when in 1456 Venice was afflicted by a ferocious plague, the leper colony of San Lazzaro were housed here for the durance. In due course they were returned to San Lazzaro and the island under discussion became deserted. There lived here then a minor order of conventuals, until they too were whittled to so small a number that the monastery was reduced to a branch of the Frari community, and finally only a sole brother remained to celebrate mass on feast days and afford shelter to travellers caught in the storms. When the Frari monastery was suppressed in 1810, this dependence was duly abolished also.

RICCIOTTI BRATTI, "Vecchie Isole Veneziane", VENEZIA, 1913, 28-35.

Squallido e deserto è ora quel breve tratto di terra, perduto laggiù nella vasta laguna solcata da canali profondi che corrono tutt'intorno a piccole paludi, emerse qua e là per il moto lento e incessante della marea. E là trovasi appunto, a un miglio da Mazzorbo, l'isoletta di san Giacomo di Paludo, dove fin dal secolo XII era stato eretto un tempio in onore di quell'Apostolo e un ospizio per i pellegrini che si recavano in Terra Santa; ospizio tramutatosi poscia in monastero di donne Cistercensi. Le vicende del pio luogo non furono tuttavia sempre delle più liete chè, come nelle "Iscrizioni Veneziane" ricorda il Cicogna, "per l'intiepidimento dell'antico fervore di religione, introdottosi nel monastero un libero modo di vivere, si andò col tratto di tempo diminuendo talmente il numero delle monache, che rimastene due sole (una delle quali era badessa), queste si ritirarono circa il 1440 nel monastero di santa Margherita di Torcello".

Nel 1456 presso l'ospizio di san Giacomo vennero, per ordine del Senato, trasportati i lebbrosi e nel 1459 il Senato stesso, d'accordo con papa Pio II, concedeva il cenobio a frate Francesco da Rimini il quale (ricorda pure il Cicogna) raccolta con elemosine una grossa somma di denaro sotto pretesto di restaurare il luogo, non soltanto non lo restaurò, ma avendo cedute le rendite a un prete secolare di mal costume, dopo aver asportato tutti i beni mobili e gli ornamenti della Chiesa, se ne ritornò a Rimini.

Il monastero dopo esser passato ai Conventuali dei Frari di Venezia, fu soppresso nel 1769. Forse per questo il Sopraintendente alle Artiglierie venete, Domenico Gasperoni, proponeva di ridurre l'isola di san Giacomo di Paludo a deposito delle polveri da cannone: per decreto del Senato il progetto del Gasperoni fu esaminato ed approvato nel maggio 1778 dagli ingegneri Gregori e Ganassa, ma, a quanto pare, non venne poscia eseguito. Negli ultimi anni della Repubblica l'isoletta era abitata da persona laica, che mendicava l'obolo dei passeggeri avvicinando una borsa alle barche con una lunghissima canna. Non dovea certamente esser la cosa più comoda né per chi dava né per chi domandava il denaro, ma l'originalità del sistema dovea di sicuro far sì che nessuno rifiutasse il soldo richiesto.

Ciò tuttavia metteva meglio in evidenza le tristi condizioni nelle

Squalid and deserted now is that exiguous stretch of land, lost out there in the vastness of the lagoon, grooved by deep canals that course about the small mudflats which the slow and incessant movement of the tides allow to emerge here and there. Here we find, a mile from Mazzorbo, the little island of San Giacomo in Paludo, where since the twelfth century a temple had been erected in honour of St. James and also a hospice for pilgrims travelling to the Holy Land, which hospice subsequently became a convent of Cistercian nuns. The vicissitudes of this holy place were not always as it happened the happiest, as Cicogna notes in his "Iscrizioni Veneziane": the wilting of religious fervour encouraged lax ways in the convent, and in the course of time the number of nuns so diminished that only two remained (and one of these the abbess) This pair were finally removed to the convent of S.Margherita at Torcello around 1440.

In 1456 the lepers were temporarily transferred to the hostel of S.Giacomo by order of the Senate, and later in the year the same Senate, with the agreement of Pope Pius II, gave the convent over to a friar Francesco of Rimini who (as Cicogna records) having raised a large quantity of alms on the pretext of restoring the place, not only did not then restore it, but having reassigned the living to a lay-reader of dubious character, returned to Rimini removing all the furniture and ornaments.

The monastery, after being subsumed into the Conventuals of the Frari of Venice, was suppressed in 1769. Perhaps this encouraged the Superintendent of the Venetian Artillery, Domenico Gasparoni, to propose demoting San Giacomo in Paludo to a gunpowder store: in accordance with a Senate decree Gasparoni's project was examined and duly approved in May 1788 on the advice of the engineers Gregori and Ganassa, but apparently it was never executed. In the last years of the Republic the small island was inhabited by a layperson, who used to solicit alms from passing travellers by dangling a bag before their boats at the end of very long reed. Certainly this was hardly a painless method, either for the donors or the beggar, but the originality of the system was such that few could decline a contribution..

quali era ridotta l'isola già un tempo fiorente, condizioni, a vero dire, comuni a molte isolette dell'estuario.

This anyway is evidence enough of the sad condition to which the once thriving island had been reduced, a condition in truth common to many small islands in the lagoon.

ALVISE ZORZI, " Venezia Scomparsa", VENEZIA 1971, 404.

L'isola si San Giacomo in Paluo, tra Murano e Burano, non presenta oggi alcun motivo d'interesse. Non è che uno dei tanti fortini, o polveriere, di cui il Regno Italico prima, l'Austria poi, disseminarono la laguna. Già negli ultimi anni della Repubblica, però, si era pensato di fare dell'isolotto, allora coltivato a ortaglie e a disposizione del Governo, una polveriera. Il monastero, sorto al posto di uno dei tanti ospizi, ad uso dei pellegrini di Terrasanta, era stato ingrandito dalle monache Cistercensi nel 1238; nel 1456, cadente era stato oggetto di una disposizione del Senato che ne ordinava la riedificazione con i materiali provenienti dai demoliti monasteri dell'isola Ammiana, e nel 1469, dopo varie vicissitudini, era stato assegnato ai Frati Minori e aggregato al grande convento veneziano di Santa Maria dei Frari, alla cui soppressione, avvenuta nel 1810 fu soppresso a sua volta. Già da tempo, però, non rimaneva in San Giacomo di Paluo che un solo sacerdote che vi celebrava la Messa e vi accoglieva, in caso di burrasca, quanti vi cercavano rifugio.

Alla fine del Seicento, la chiesa, lunga ventitrè passi veneti e larga dieci, aveva tre altari, il maggiore dedicato a San Giacomo, gli altri, rispettivamente, l'uno a Maria e ai Santi Giovanni Battista, Francesco, Antonio e Bernardino, l'altro a *San Nicolò di Bari*, la cui statua vi si vedeva affiancata da quelle di *San Francesco* e di *Sant'Antonio*. Si vedeva anche la statua lignea, con iscrizione, del cardinale *Ludovico Donà*, francescano, assassinato per ordine di papa Urbano VI nel 1385.

Per testimonianza del Coronelli, il convento, un tempo assai vasto, era ridotto a solo cinque stanze, ma disponeva di un'ampia foresteria, di una spaziosa " cavana" coperta e di una loggia a disposizione dei naviganti in difficoltà. C'era anche un oratorio interno con una immagine di *Sant'Antonio Abate* a bassorilievo in legno, due altri bassorilievi ai lati non erano più decifrabili a causa della vetustà. In epoca posteriore fu certamente costruito il singolare atrio della chiesa, che si vede in un'incisione dell'"Isolario" di Tironi-Sandi e non in quella coronelliana; lì presso è riconoscibile l'edicola o capitello dedicata alla Vergine, oggetto di particolare venerazione da parte dei naviganti.

Tutto il complesso fu demolito dopo il 1810, senza che ne rimanesse alcuna traccia.

The island of San Giacomo in Paludo, between Murano and Burano, has little of interest to offer us today. It is merely one of the many fortresses or gunpowder stores which the Italian Kingdom and later the Austrians scattered about the lagoon. Already in the last years of the Republic a plan had been mooted to convert the island into a powder magazine, given over as it then was to the cultivation of vegetables and under the direct control of the Governor. The convent, created in the place of one of the many hospices for pilgrims on their way to the Holy Land, had been enlarged by the Cistercian nuns in 1238; but by 1456 it was already falling down and was the subject of a Senate decree ordering its reconstruction using materials from the demolished monasteries of the island of Ammiana. In 1469, after various vicissitudes, it was given to the Minor Friars and attached to the large Venetian house of Santa Maria dei Frari, which was suppressed in 1810, when it too was extinguished. However for some time there had been only a single priest on San Giacomo di Paludo, who celebrated mass and provided refuge to all seeking shelter from storms.

At the end of the seventeenth century the church, twenty-three "Venetian paces" long and ten wide, had three altars, the major one dedicated to S. Giacomo, the others, respectively, one to Mary, together with the Saints St John the Baptist, St Francis, St Anthony and St Bernardino, the other to St Nicholas of Bari, whose statue could be seen between those of St Francis and St Anthony. You could also see the wooden statue, with dedication, to Cardinal Ludovico Donà, a Franciscan, assassinated on the orders of Pope Urban VI in 1385.

As confirmed by Coronelli, the monastery, in its time quite a considerable construction, was by then reduced to only five rooms, but still had a substantial guesthouse, a spacious covered boathouse and a further covered mooring available to sailors in difficulty. There was also an internal oratory with a bas-relief image of St Anthony Abbot carved in wood; two other bas-reliefs at the side were no longer identifiable on account of their great age. The unusual church atrium which we see in a print from the Tironi-Sandi Isolario but not in Coronelli, was certainly therefore built at a later date; and nearby we can see the little altar or shrine dedicated to the Virgin, which was the object of particular veneration by mariners.

The whole complex was demolished in 1810, leaving no trace behind.

S. GIACOMO IN PALUDO

Veduta aerea. L'antica chiesa demolita dagli ordinamenti napoleonici si trovava al centro dell'argine destro di questa foto, le fondamenta si possono notare ancor' oggi.

Aerial shot. The old church, demolished under the Napoleonic dispositions, was sited in the middle of the righthand border of the island as viewed in this photograph. The foundations can still be seen today.

S. GIACOMO IN PALUDO

Secondo le antiche cronache Orso Badoaro nel 1046 concede a Giovanni Trono di Mazzorbo l'erezione di un ospedale per accogliere i pellegrini e i naviganti sorpresi in laguna dal cattivo tempo.

According to the oldest chronicles Orso Badoaro in 1046 granted one Giovanni Trono of Mazzorbo permisssion to erect a hospice for the shelter of pilgrims and sailors surprised by bad weather in the lagoon.

S. GIACOMO IN PALUDO

Il capannone militare. Il monastero dopo essere passato ai conventuali dei Frari fu soppresso nel 1769; il sopraintendente alle artiglierie venete proponeva allora di ridurre l'isola a deposito delle polveri da cannone. Tale progetto venne ripreso e attuato dagli austriaci.

The military storehouse. After passing into the hands of the Conventuals of the Frari, the monastery was then suppressed in 1769, at which point the Venetian Superintendent of Artillery proposed converting the island to a powder magazine. This project was eventually realised by the Austrians.

S. GIACOMO IN PALUDO

Nel 1975 la Biennale organizzò una serie di spettacoli teatrali sull'isola. Questo capannone servì per le rappresentazioni. Subito dopo i soliti ignoti asportavano tutte le tavole del pavimento.

In 1975 the Biennale organised a series of theatrical events on the island, and this warehouse was used for their staging. Shortly afterwards all the floor-panelling was removed by hands unknown.

Il bassorilievo della Madonna nell'edicola neo-gotica posta sulla facciata del canale tra Murano e Burano

A relief of the Madonna in a neo-Gothic shrine on the front facing the canal between Murano and Burano.

S. GIACOMO IN PALUDO

I velocissimi motoscafi per il trasporto turistico favoriscono con il loro continuo passaggio la disgregazione di S. Giacomo.

The continual traffic of high-speed tourist boats contributes to the ongoing disintegration of S.Giacomo.

ISOLA DI MADONNA DEL MONTE

XVII. ISOLA DELLA B. V. DEL ROSARIO.

MADONNA DEL MONTE

L'isola di Madonna del Monte era chiamata anche S. Nicolò della Cavana e Beata Vergine del Rosario come appare dall'Isolario Veneziano di T. Viero.

The island of Madonna del Monte was also known as S.Nicolò della Cavana and Beata Vergine del Rosario, under which title it appears in Viero's Isolario Veneziano.

MADONNA DEL MONTE

L'isola assai vicina a Burano come appariva al Tironi nel 1779. Ospitava anticamente un convento di monache benedettine, passate in seguito sotto la giurisdizione del Monastero di S. Caterina di Mazzorbo.

The island, as illustrated by Tironi in 1779, is close by Burano. In earlier times there was a convent of Benedictine nuns here, who were subsequently absorbed into the community of S.Caterina on Mazzorbo.

163

STORIA DI MADONNA DEL MONTE ATTRAVERSO LA DESCRIZIONE DI ALCUNI AUTORI
THE HISTORY OF MADONNA DEL MONTE ACCORDING TO THE DESCRIPTIONS OF VARIOUS AUTHORS

ERMOLAO PAOLETTI, *"Il Fiore di Venezia"*, VENEZIA, 1837, vol. I, 132.

Intorno Burano e Torcello stanno altre piccole isolette. S. Nicolò della cavana ebbe un monastero fondato nel 1303 ad uso di quattro monache benedettine, le quali perirono tutte innanzi che per miseria del sito potessero trovare chi le succedesse. Laonde il vescovo di Torcello unì il monastero a quello dello stesso ordine di s. Catterina di Mazorbo; ma abbandonato il chiostro di s. Nicolò, l'isola che lo accoglieva a poco a poco si ridusse all'antico stato di palude. Scorsero 200 e più anni quando vennero ad abitarvi due eremiti che vantavansi seguire le orme di s. Paolo primo eremita. Annoiati però della solitudine e della povertà se ne partirono essi, ma vi subentrarono altri due instabili eremiti veneziani. Finalmente un veneziano nel 1712, colla permissione delle monache di s. Catterina di Mazorbo, rifabbricò l'atterrata chiesa e dedicolla s. Maria del Rosario ed ivi presso costrusse delle case instituendo una confraternita di divoti, a spese della quale non solo si manteneva il luogo in una maniera assai decente, ma un sacerdote ancora per la celebrazione della messa quotidiana a pro de' confratelli defunti. Per tal modo quell'isola acquistò indi a poi il nome di Monte del Rosario. Ora per altro tutto è distrutto.

Around Burano and Torcello there are other small islands. San Nicolò della Cavana had a convent founded in 1303 for four Benedictine nuns, who all perished before others could be found to succeed them, on account of the harshness of the place. The bishop of Torcello therefore united the monastery to another of the same order, S. Caterina of Mazorbo, but once the convent of S. Nicolò was abandoned, the island on which it was situated reverted little by little to its original marshland state. Two hundred years or more passed before it was inhabited by two hermits who claimed to follow in the footsteps of St. Paul the first hermit. Intolerant however of the solitude and poverty, these left, and were replaced by two equally irresolute Venetian hermits. Finally a Venetian in 1712 with the permission of the nuns of S. Caterina of Mazorbo, rebuilt the fallen church and dedicated it to S. Maria del Rosario and close by built also some houses and instituted a confraternity of devotees, thanks to whom not only was the place maintained in a very decent manner, but there was also a priest present for the daily celebration of the mass for the souls of deceased friars. For this reason the island subsequently came to be known as Monte del Rosario. Now all is destroyed.

RICCIOTTI BRATTI, *"Vecchie isole veneziane"*, VENEZIA, 1913, 27-28.

Così se si prosegua il giro nella laguna e si oltrepassi Burano, trovasi pure abbandonata un'altra piccola isola la quale, designata, è vero, dal Sabellico come luogo "omni cultu desertum", non dovè certamente mai avere lo squallore ch'essa presenta oggidì. San Nicolò della Cavanna, chiamata poscia Madonna del Monte o Scoglio del Rosario ospitava anticamente un convento di monache Benedettine, passato in seguito sotto la giurisdizione del monastero di santa Catterina di Mazzorbo. Col volger degli anni, per la violenza delle acque e per la poca salubrità dell'aria, l'isola fu abbandonata.

Or avvenne che nel 1708 certo Piero Tabacco, mentre ritornava da Torcello con la sua leggera imbarcazione nella sera precedente alla Commemorazione dei defunti, udendo le campane squillare lente e solenni, scese nell'isola invocando da Dio la grazia di poter egli pure in quel luogo esser sepolto. Concepì contemporaneamente l'idea, il buon uomo, di far erigere una chiesetta in memoria del tempio che là sorgeva anticamente. Dopo una breve lite con le Be-

In this way as we continue our journey through the lagoon and pass Burano, we find another small abandoned island which, if described by Sabellico as a place "omni cultu desertum", could hardly have been then possessed of anything resembling its present day squalor. S. Nicolò della Cavanna, subsequently called Madonna del Monte or Scoglio del Rosario, originally hosted a convent of Benedictine nuns, which then came under the jurisdiction of the convent of S. Catterina on Mazorbo With the passing of the years, due to the violence of the waters and the unhealthiness of the air, the island was abandoned.

It happened that in 1708 that a certain Piero Tabacco, while he was returning from Torcello in his light boat on All Souls' Eve heard a bell ringing slowly and solemnly, and landing on the island prayed that by the Grace of God he might himself be buried in that place. At the same time this good man had the idea of establishing a shrine there in memory of the church of former

nedettine di santa Catterina, le quali su quello Scoglio voleano far valere la loro giurisdizione, s'ebbe il Tabacco l'isolotto in enfiteusi e con decreto del Senato degli 11 giugno 1712, ottenne pure di poter erigere la piccola chiesa. Sulle fondazioni dell'antico Monastero sorse la nuova fabbrica, aperta al culto dei fedeli nell'ottobre del 1713 e benedetta dal vescovo di Torcello Marco Giustinian, che la dedicava alla Vergine del Rosario, a sant'Antonio e san Lorenzo Giustiniani.

times. After a brief wrangle with the Benedictine nuns of S. Catterina, who pretended jurisdiction over this bleak rock, Tabacco was granted a lease on the island and with a decree from the Senate on 11th June 1712, was also permitted to erect a small church. The new building duly rose on the foundations of the original convent, and was opened to the faithful in October 1713 with the blessing of the Bishop of Torcello, Marco Guistiniani, who dedicated it to the Virgin of the Rosary, to St Anthony and S. Lorenzo Guistiniani.

Madonna del Monte misura oggi ha 0,65; in passato la sua superficie era notevolmente maggiore.
Evidente la sproporzione fra l'enorme capannone militare e la sua superficie in questa veduta aerea.

Madonna del Monte today (1978) measures some 1.6 acres; in the past the surface area was notably larger. In this aerial photograph the disproportionate size of the military depot in relation to its surround is evident.

Questa la desolante visione del viaggiatore diretto a Burano. Gli edifici religiosi furono distrutti a metà dell'800 mentre agli inizi del nostro secolo il Presidio militare l'adibì a polveriera.

This is the desolate sight that greets the traveller on his way to Burano. The religious buildings were destroyed in the middle of the nineteenth century and early in the twentieth it was converted by the military to a magazine.

MADONNA DEL MONTE

Scorcio dell'interno. L'isola è proprietà privata. Nel 1712 un privato cittadino promosse la rifabbrica della chiesa, costruì delle case ed istituì una Confraternita.

View of the interior. The island is now private property. In 1712 a private citizen saw to the reconstruction of the church, built a few houses and established a confraternity.

MADONNA DEL MONTE

Interno del cappannone. Nel 1303 quattro monache benedettine fondarono un monastero dedicandolo a S. Nicolò.

Interior of the long barn. In 1303 four benedictine nuns founded a convent dedicated to St. Nicholas.

ISOLA DELLA CERTOSA

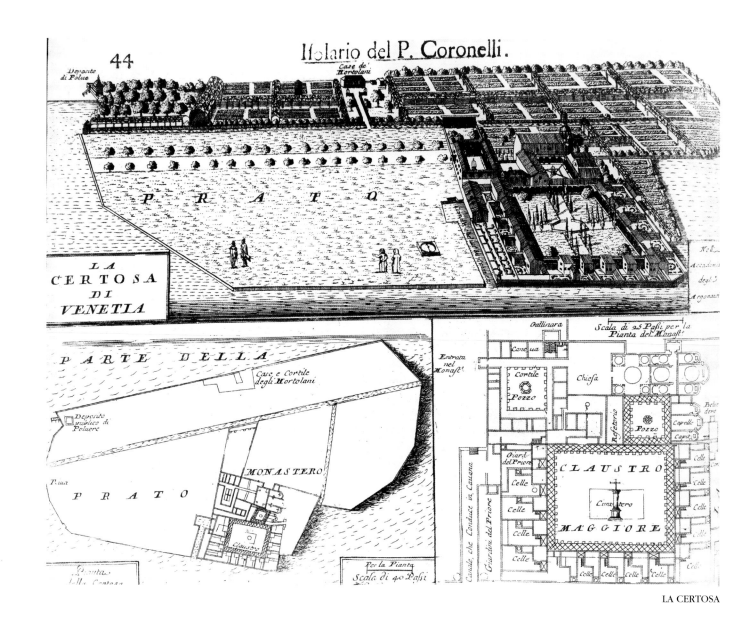

LA CERTOSA

Le piante del Coronelli ci illustrano l'isola della Certosa com'era. Secondo la regola certosina ogni frate possedeva la propria cella e il proprio cortiletto nel quale si scavava egli stesso la tomba.

The Coronelli view and ground-plan show us the Certosa as it was. According to the Carthusian practice each monk had his own cell and a small courtyard in which he dug his own grave.

I. ISOLA DELLA CERTOSA.

LA CERTOSA

Le celle dei frati, tutt'intorno al chiostro grande, sono riconoscibili in questa incisione settecentesca. Oltre al convento, un grande prato "dava il comodo a' Cittadini di portarsi la State a diporto…".

The monks' cells arranged round a large courtyard can be seen in this eighteenth century print. Behind the monastery was a great meadow "where the citizens were able to ramble at their ease in the summer months".

LA CERTOSA

Degli edifici ritratti da quest'incisione del Tironi non rimane oggi che il casello da polvere posto all'estremità sinistra dell'isola.

Of the buildings pictured in this Tironi engraving only the powder-hut at the extreme left of the island remains.

STORIA DELLA CERTOSA ATTRAVERSO LA DESCRIZIONE DI ALCUNI AUTORI
THE HISTORY OF THE CERTOSA ACCORDING TO THE DESCRIPTIONS OF VARIOUS AUTHORS

ERMOLAO PAOLETTI, *"Il Fiore di Venezia"*, VENEZIA, 1837, vol. I, 202-206.

Poco discosta dall' isola di sant' Elena trovasi l'altra celebre isola detta sant'Andrea del Lido o la Certosa, od anche san Bruno in isola dal nome del fondatore dell'ordine Certosino. Quest'isola, già di spettanza del vescovato di Castello, non più era costituita che di due inculte isolette disgiunte da un canale, quando il vescovo Marco Nicola la donava a Domenico Franco, sacerdote della chiesa di s. Sofia di Venezia, perchè vi fondasse un tempio ed un monastero di frati agostiniani sotto il titolo di s. Andrea (an. 1189) siccome avea fatto nell' isola di s. Andrea di Ammiano ed in altri luoghi eziandio. Obbligava il vescovo que' monaci al solo annuo censo di due ampolle di vino, due libbre di olio, ed a presentare la nomina dei priori al vescovo Un anno però appresso concedeva al Franco altresì di poter quivi innalzare altra chiesa ed altro edifizio alle ss. Eufemia, Dorotea, e Tecla ecc. vergini e martiri aquileiesi per uso di que' frati o suore che introdur vi volesse. Ciò eseguito, il Franco (di necessità divenuto primo priore di s. Andrea) moriva nel 1204 in concetto di beato, ricevendo sepoltura nella chiesa medesima la quale nel 1219 era anche ridotta a perfezione e consacrata. Varie oblazioni de' fedeli migliorarono di tempo in tempo la condizione del cenobio ad essa unito; ma quantunque nel 1382 fossero in uno stato sufficiente le rendite, i monaci erano a sì scarso numero che dal senato veniva preso di concedere il luogo ai certosini. Nondimeno, rimanendo per allora annullato il decreto, continuarono ad abitarvi gli agostiniani, finchè nel 1419 le fabbriche, per la rovina vacillanti, nulla più che due o tre monaci accoglievano.

Bene il senato voleva che col frutto delle proprie rendite fosse il monastero di s. Andrea riattato; ma, seguendo i consigli di s. Bernardino da Siena (an. 1422), ordinava invece all'ab. di s. Giorgio maggiore che i pochi frati agostiniani passassero in altri conventi del medesimo ordine e che quivi introdotti fossero i certosini, togliendosi il primo priore dalla Certosa di Firenze. Il vescovo castellano s. Lorenzo Giustiniani esentò i nuovi monaci dalle obbligazioni imposte ai priori degli antecedenti agostiniani, mutò il censo in 50 soldi veneti in segno di soggezione (da cui pur vennero assolti nel 1507 dal patriarca Antonio Suriano) e largì loro finalmente alcuni libri di canto fermo sino agli ultimi tempi stati gelosamente conservati.

Mal riuscivano per altro adatti alle costumanze de' certosini quegli edifici. Laonde li riformarono essi ben tosto erigendo un solo chiostro e circuendolo con 15 cellette per altrettanti frati, avente ciascheduna il proprio cortiletto, il pozzo ed il giardino. Chiamavasi questo chiostro Galilea, ovvero trasmigrazione secondo le spiegazioni date da s. Girolamo, essendochè con quell'esercizio di vita

Not far from the island of S.Elena, we find another famous island, called Andrea del Lido, or La Certosa (The Charterhouse), or sometimes S.Bruno in Isola, after the founder of the Carthusian order. This island, formerly under the aegis of the bishopric of Castello, consisted of little more than two uncultivated islets divided by a canal when (in 1189) the bishop Marco Nicola entrusted it to Domenico Franco, the parish priest of S.Sofia in Venice, with a view to his establishing there a church and a monastery of Augustinian friars, along the same lines as those at S.Andrea di Ammiano and elsewhere. The bishop obliged the monks to pay only an annual tribute of two jars of wine and two pounds of oil and to defer to him in the appointment of their prior. Only a year later however it was conceded to this Franco to erect a second church and convent in the names of the saints Eufemia, Dorotea, Tecla, and the other virgin martyrs of Aquilea for the use of brothers and sisters wishing to repair there. But this achieved, Franco (having been duly appointed the first prior of S.Andrea) died in 1204, received beatification, and was in due course laid to rest in that church, which was not in fact fully decorated nor finally consecrated until 1219. Various offerings from the faithful improved from time to time the fortunes of the annexed house, but although by 1382 their income was more than adequate, the monks themselves were so reduced in numbers that the Senate was minded to make the place over to the Carthusians. However that decree was for the time being set aside and the Augustinians continued to reside there until by 1419 the buildings, then in an advanced state of dilapidation, provided an unstable roof to no more than two or three brothers.

In the first instance the Senate was ardent that the monastery of S.Andrea should set itself to rights out of its own revenues, but then in 1422, following the advice of S.Bernardino di Siena, instructed the abbot of S.Giorgio Maggiore to place the few remaining Augustinian friars in other houses of the order, and ordained that the abbey be now given over to the Carthusians, appointing a first prior from the Certosa of Florence. The then bishop of Castello, S.Lorenzo Giustiniani exempted the new monks from the obligations of the preceding Augustinian abbots, but fixed instead a token annual impost of 50 Venetian soldi in sign of their subordination (from which they were eventually to be absolved in 1507 by the patriarch Antonio Suriano) and bequeathed them besides some jealously conserved ancient volumes of plainchant. The Carthusians however, finding their new premises ill-adapted to their procedures, set about remodelling the foundation around a main cloister with 15 cells opening off

contemplativa faceasi passaggio dai vizi alla virtù. A meglio raggiungere sì sublime scopo teneano anzi que' monaci nel mezzo del cortile il cimitero onde aver sempre dinanzi l'ultimo fine.

Fuori del chiostro principale ve n'era un altro minore, il quale col lato settentrionale congiungevasi al fianco della chiesa, a levante era chiuso dal refettorio ornato con belle tele del Bonifacio ed a ponente lo conterminavano varie cappelle che andavano ad unirsi alla chiesa stessa accogliendo le sepolture di molti patrizi. Vedeasi quindi tra esse e quella eretta da Francesco Barbarigo padre dei due dogi Marco ed Agostino, e quella della famiglia Giustiniani che molto spese nella riedificazione del convento, e che nel mezzo avea il sepolcro di Orsato, morto capitano generale in Morea. In terra poi del chiostro stesso vedevasi la sepoltura di Jacopo morto in una giornata campale di Morea (an.1466) e di Girolamo Barbarigo stato avvelenato da' nemici nelle guerre di Romagna (an.1467), quella di Andrea Morosini gran guerriero e sagace politico morto nel 1454, quelle della famiglia Marcello, in una delle quali nella notte trovossi vivo dai padri un individuo che tanto visse da propagare il ramo della sua casa, quella finalmente del procuratore Leonardo Giustiniani fratello del santo patriarca, assai chiaro nelle lettere e nelle civili magistrature morto nel 1446, e quella di Marc'Antonio e Lorenzo Loredan, con altri molti che per brevità si omettono.

Fra i due chiostri, fu fabbricata la chiesa serrata così che non potessero entrare le donne. Si cominciò a rinnovare sul disegno di Pietro Lombardo ricevendo a più riprese altri restauri, ed altre appendici.

Nel secolo trascorso, intanto che gli antichi chiostri venivano ampliati, molto essa si rinnovava nell'interno per cui anzi nel 1721 dovette ancora essere consacrata. Tuttavolta, conforme all'uso certosino, rimaneva divisa nel mezzo da un muro che intarsiato di eletti marmi fu eretto a spese della famiglia Priuli, della quale se vedevansi in esso scolpite le armi, ai piedi ne stavano anche i sepolcri. La metà anteriore della chiesa avea varie cappelle; alla destra quella della famiglia Pisani, alla sinistra quella magnifica de' Nani ove riposava il famoso Paolo, in uno a Francesco Grimani senatore riputatissimo. A queste succedeva quella avente il sepolcro di Luigi Grimani morto arcivescovo di Candia nel 1619 e quella opposta dove stavano le memorie del procuratore Giambatista Grimani sommerso da fierissima burrasca nelle acque di Psarà (an.1648) quando la patria aspettava vittorie proporzionate al valor suo. Nel mezzo di tal parte anteriore scorgevasi inoltre il sepolcro di Antonio Suriano stato priore di questo monastero (an.1484) ed eletto patriarca di Venezia nel 1504: celebre per la pietà e per la scienza ecclesiastica. Poco lunge da questo sepolcro c'era pur quello di Arnoldo Gasco ab. di s. Fermo in Francia uno dei fondatori della Certosa di Bordeaux.

Chi poi osservava l'altra metà posteriore dell'intermedio muro trovava prima il coro de' monaci e nel mezzo il sepolcro di Girolamo Morosini, indi la cappella maggiore, opera sontuosa della pietà di un Marco Morosini, nella quale vedesi la celebre tavola di Mar-

it for as many monks, each with its own small courtyard, well and garden. This cloister was named Galilea, signifying transmigration according to the interpretation of St. Jerome, the aim of this exercise of the contemplative life being the passage from vice to virtue. For the better achievement of this sublime ambition the monks interred their brothers in a cemetery in the middle of the cloister, in order to have their final end ever before their eyes.

Outside this principal cloister, was another, lesser one whose northern side ran down to the church, the eastern side being closed off by a refectory decorated with handsome canvases by Bonifazio da Verona, and the western consisting of a series of chapels opening off the church itself, destined to become the burial-places of the patriciate. Among these last for example featured the chapel erected by Francesco Barbarigo, father of the two doges Marco and Agostino, and that of the Giustininani family, who had contributed notably to the rebuilding of the monastery, in the centre of which was the tomb of Orsato, the captain-general of the family perished in Morea. Interred instead in the cloister itself were Jacopo Barbarigo, also fallen in Morea (1466) and Girolamo Barbarigo, poisoned by his enemies during the Romagna campaigns (1467), also Andrea Morosino, valiant warrior and shrewd politician who died in 1454, and the tombs of the Marcello family, in one of which the holy friars found of a night an individual still living who survived to father a new branch of his family; and finally that of Leonardo Giustiniani brother of the canonised patriarch, himself a luminary of letters and of the civil magistracy who died in 1446, and those of Marc'Antonio and Lorenzo Loredan, along with many others whom for the sake of brevity we must omit.

The church was thus enclosed between the two cloisters and women were excluded therefrom. The initial reconstruction was on a plan by Pietro Lombardo, with many subsequent restorations and additions.

In the last century when the ancient cloisters were amplified, the church was also greatly remodelled internally before being reconsecrated in 1721. None the less, in conformity with the Carthusian practice, the nave remained divided in two by a screen inlaid with precious marbles, the gift of the Priuli family, whose arms it bore, and whose tombs were to be found at its foot. The forward half of the church contained a number of chapels; on the right that of the Pisani family, on the left the magnificent mausoleum of the Nani, where lay the famous Paolo, in another Francesco Grimani the celebrated senator, and immediately after this a chapel housing the sepulchre of Luigi Grimani, who died while archbishop in Crete, 1619, and opposite the memorial to Giambatista Grimani, drowned in a fearsome storm off Psarà, just when the republic's hopes rested in the great victory his prowess deserved. In the centre of the anterior wall on this side rose the burial-chamber of Antonio Suriano, prior (from 1484) of this monastery and elected patriarch of Venice in 1504, a man

co Basaiti con Cristo che chiama Pietro ed Andrea all'apostolato, trasportata ora nella veneta pinacoteca. Alla destra della maggiore stava la cappella dei Soranzo ove furono sepolti due Jacopi Soranzi, procuratore l'uno morto nel 1551, e ragguardevole senatore l'altro che sostenne varie ambascerie e morì nel 1649. Alla sinistra v'avea la cappella de' Contarini e per ultimo succedeva un'altra cappella intitolata alla Madonna della Pietà eretta dal celebre Antonio Vinciguerra, segretario del Consiglio dei X, che sostenne varie gelose missioni, che molto si rese noto nella repubblica delle lettere per varie produzioni, ma specialmente per essere stato il primo in Italia a scrivere terze rime satiriche dai letterati di que' dì mandate perfino a memoria, e che morì nel 1517.

Ma questo luogo sì magnifico e sì ameno, fiorente nei secoli scorsi per la santità, oggi più non sussiste. Sopraggiunta la grande soppressione delle corporazioni religiose nel 1810 questa fu colle altre dispersa, il luogo fu consegnato al militare, indi demolito, ed oggi, tranne l'abitazione di un colono, tutto è scomparso.

renowned alike for personal piety and ecclesiastical learning. Close by was also the sepulchre of Arnoldo Gasco, sometime abbot of S.Fermo in France and a co-founder of the Charterhouse at Bordeaux.

Those penetrating the rear half of the church beyond the screen would have found first the monks' choir, with in the middle the tomb of Girolamo Morosini, then the High Chapel, this sumptuous confection the pious offering of one Marco Morosini and containing the celebrated painting by Marco Basaiti of Christ calling Peter and Andrew to the apostolate, now removed to the Accademia in Venice. To the right stood the Soranzo chapel, where two Jocopos of the family were buried, one a Procurator, deceased in 1551, the other a distinguished senator, the holder of various ambassadorships, who died in 1649. On the left was the Contarini chapel and last on that side a chapel dedicated to the Madonna della Pietà, erected at the behest of that famous Antonio Vinciguerra who was secretary to the Council of Ten, and undertook a number of secret missions for the Republic, but was perhaps best known to the world of letters, as being the first in Italy to pen satirical terzerime which were even committed to memory by the literati of the time, and who died in 1517.

However this magnificent and well-appointed foundation, of such celebrated sanctity in earlier centuries, no longer survives. With the advent of the general suppression of the religious communities in 1810, this house was dispersed along with the others, the buildings first given over to the military, and subsequently demolished, so that today, with the exception of a single smallholder's cottage, nothing remains.

LUIGI CARRER, *Isole della laguna e Chioggia, in "Venezia e le sue laguna"*, VENEZIA, 1847, vol. II, 500-501.

Quest'isola, chiamata anche Sant'Andrea del Lido, diede il nome al castello anzidetto. Fu pur chiamata San Bruno in Isola, dal nome del fondatore dell'ordine Certosino. Donolla Marco Nicola, vescovo castellano, a Domenico Franco, sacerdote di Santa Sofia di Venezia, perchè ci erigesse un convento di frati Agostiniani; e ciò nel 1189. Sul principio poi del secolo decimoquinto, e propriamente nel 1422, mandati in altri conventi i pochi Agostiniani che tuttavia rimanevano, vennervi i Certosini, per ordine del senato e secondo i consigli di san Bernardino da Siena, e vi stettero fino al 1806. La chiesa era opera stimabilissima di Pietro Lombardo, condotta a fine nel 1492, e in essa e via pel convento avea l'amatore dell'arti ad ammirare non poco di pitture e di monumenti sepolcrali. Tranne la casa d'un custode, null'altro si vede al presente.

This island, known also as Sant'Andrea del Lido, gave its name to the aforementioned fort. It was also known as San Bruno in Isola, after the founder of the Carthusian order. The then Bishop of Castello, Marco Nicola, donated it to Domenico Franco, the parish priest of Santa Sofia in Venice, to build thereon a monastery of Augustinian friars, this in 1189. Around the beginning of the fifteenth century, in 1422 to be exact, the few remaining Augustinians were dispersed to other houses, and the foundation was, by order of the senate and following the advice of San Bernardino of Siena, handed over to the Carthusians, who remained there until 1806. The church was a celebrated work by Pietro Lombardo, finished in 1492, and within it, and throughout the monastery there were not a few paintings and funerary monuments to excite the admiration of the lover of the arts. With the exception of the custodian's cottage, nothing remains now to be seen.

RICCIOTTI BRATTI, *"Vecchie isole veneziane"*, VENEZIA, 1913, 10-16.

E ancora vecchie isole abbandonate erano san Girolamo e san Pietro di Casa Calba, san Catoldo o Monte dell'Oro sede un tempo di un seminario, san Magno o Tre Pallade, le isole di Santi Apostoli, di san Nicolò di Bari e tante altre dipendenti tutte dalla giurisdizione del Vescovo di Torcello.

Ma della bella e ridente corona che circondava Venezia, alcune gemme, se non rifulgono ancora dell'antico splendore, restano tuttavia come ricordo della bellezza e della vita passate. "Sopra un gran baro appresso il Lido", come si esprime la Cronaca del Sivos, sorgevano fin dal 1199 la chiesa e il monastero di sant'Andrea Apostolo, eretti da Domenico Franco per i canonici Agostiniani, che doveano annualmente offerire alla mensa vescovile di Castello, in cambio della ottenuta concessione dell'isola, "due ampolle di ottimo vino e due libbre d'olio". Nel 1424, intervenuto un accordo fra il papa Martino V e la Signoria di Venezia, ai Regolari Agostiniani succedettero i Padri Certosini che, dopo aver mutato il tributo del vino e dell'olio con quello di cinquanta soldi, nel 1507 lo sostituirono definitivamente con tante preghiere da recitarsi in suffragio delle anime dei Patriarchi di Venezia.

Trasformato il vecchio convento secondo la Regola certosina, vennero eretti due chiostri, dei quali il maggiore fu denominato "Galilea", che come vuole san Girolamo, significa "trasmigrazione": nel monastero infatti "con l'esercitio della vita contemplativa si fa passaggio da vitii alle virtù e perciò (i frati) tengono nel mezzo di esso il loro cimitero per poter aver sempre sotto gl'occhi l'ultimo fine". L'altro chiostro era più piccolo: col volger del tempo si eressero in esso le cappelle gentilizie dei Barbarigo, dei Giustiniani e dei Diedo, e si inalzarono monumenti funebri in onore di illustri patrizi; gioverà ricordare che in una cassa era conservato il corpo imbalsamato di Agostino Barbarigo che nel 1571 alla battaglia di Lepanto avea combattuto gloriosamente contro il Turco. Fra i due chiostri si inalzava la chiesa, comunemente detta di sant'Andrea del Lido, la quale nel secolo XV ebbe a rinnovarsi e ad ingrandirsi per opera di Pietro Lombardo. In essa, per la clausura dell'Ordine Certosino, le donne non potevano entrare e perciò, conforme all'usanza di quella Religione, era divisa nel mezzo da un muro tutto di rimesso, fatto, cioè, con porfido, con paragone, con diaspri, serpentini ed altri marmi preziosi. Conteneva pure opere di pittura bellissime: "Gesù e figli di Zebedeo" di Marco Basaiti, ora nelle regie Gallerie di Venezia, un "Cristo che porta la Croce" di Tiziano, ed altri quadri ancora dovuti al pennello di Nicolò Renieri, di Andrea Celesti, del Palma Vecchio, di Andrea da Murano, del Tintoretto, di Bartolomeo Vivarini e del Maganza. Nel refettorio del convento le tele ricoprenti le pareti erano tutte lavoro del Bonifacio.

Il tempio ed il monastero erano insomma monumenti veramente cospicui e l'isola, che tutti già denominavano la Certosa, era una fra le più vaghe dell'estuario veneto. Il padre Coronelli scriveva che

And other old islands now abandoned included San Girolamo and San Pietro di Casa Calba, San Catoldo or Monte dell'Oro, once the site of a seminary, San Magno or Tre Palllade, the islands of Santi Apostoli and San Nicolò di Bari, and a host of others under the jurisdiction of the Bishop of Torcello.

But of that glittering crown that once surrounded Venice, a few gems, if no longer shining with the splendour of days of yore, conserve at least the memory of their beauties and the life lived therein. On a great bank near the Lido, as the Sivos Chronicle describes, there rose from 1199 the church and monastery of Sant'Andrea Apostolo, built by Domenico Franco for the Augustinian friars, who in recognition of the concession of the island were obliged to offer annually to the table of the bishop of Castello two jars of the best wine and two pounds of oil. In 1424, as the result of an agreement between Pope Martin V and the Signory of Venice, the Augustinian regulars were succeeded by the Carthusian fathers, their rent of wine and oil being commuted to an annual payment of 50 soldi, a transfer that was made permanent in 1507, with a duty of continuous intercession for the souls of the Patriarchs of Venice.

With the transformation of the old monastery in accordance with the Carthusian regimen, two cloisters were built, the larger being named Galilea, signifying, according to St. Jerome, transmigration: indeed it was the case there that "through the exercise of the contemplative life a passage from vice to virtue is gradually achieved, and to this end [the friars] maintain their cemetery in their midst, so as to have the final end ever before their eyes". The second cloister was smaller and with the passage of time the family chapels of the Barbarigo, the Giustiniani and the Diedo were established there, and funerary monuments erected to the honour of illustrious patricians: we might note for example that the embalmed remains of Agostino Barbarigo were conserved here, who in 1571 had fought so gloriously against the Turk at Lepanto. Between the two cloisters rose the church, known generally as Sant'Andrea del Lido, which was rebuilt and enlarged in the 15th century under the direction of Pietro Lombardo. Due to the enclosed nature of the Carthusian Order, women were denied admittance to this church, which was further, in accordance with the Carthusian usage, divided in half by a newly constructed wall, made of porphyry, paragon, jasper, serpentine and other precious marbles. It also housed many beautiful pictures: Marco Basati's 'Jesus Calling the Sons of Zebedee', now in the Royal Galleries of Venice, Titian's 'Christ Bearing the Cross' and other canvases from the brushes of Andrea Celesti, Palma il Vecchio, Andrea da Murano, Tintoretto, Bartolomeo Vivarini, and Meganza. The walls of the refectory were covered by a series of paintings by Bonifazio da Verona.

In conclusion, the church and monastery were important

"per una solitudine sacra (non) poteva ritrovarsi sito più proportionato di quello di quest'Isola, tanto più che ve è stato luogo capace per farvi ogni più delitiosa commodità nel suo giro, che s'estende a più milla passi. Oltre le predette sontuose fabbriche comprende un'Orto vasto, altre volte con Peschiera copiosissima di Pesci, la quale haveva l'entrata, e l'esito delle sue acque per quanto si estendeva la lunghezza d'un Prato vastissimo fuori della clausura; e questo dà il commodo a' Cittadini di portarvisi la State a diporto, senza punto sturbare que' Religiosi dalle loro sante applicationi".

"Qui si trattengono continuamente in honorate conversationi Compagnie dilettevoli, godendo il piacere di quell'erboso passeggio, e'l transito di tutti i Navigli, che dalla Città vanno all'Isole, al Porto, ed al Lido; il che succede assai più spesso dopo l'escavatione fatta de' Canali all'intorno, ed altro di nuovo costruito in mezzo alle Paludi, col beneficio delle di cui copiose acque restano abbassati; ed hanno dato gran moto alle acque verso il Castello del Lido con vantaggio di quella Laguna, e del Porto".

monuments, and the island, which came to be known by all and sundry as 'La Certosa' was one of the most attractive in the Venetian estuary. Father Coronelli wrote that "no place of sacred solitude could be more ideally ordered than this island, the which, extending more than a thousand paces in length, offered space for every pleasurable amenity within its compass. In addition to the already cited splendid buildings, it boasted a vast garden, in those times complemented with a great fishpond teeming with fish, having sluice gates at either end as it extended the full length of a meadow beyond the monastic walls, where the citizens were able to ramble at their ease in the summer months without disturbing the holy observances of the monks'.

'On these lawns would foregather likeminded souls for agreeable debate and pleasurable wandering, and to watch the coming and going of all kinds of craft between the city and the Lido and the islands and their anchorages, a traffic now the denser for the dredging of the surrounding canals, and the cutting of new waterways through the marsh, thanks to which the tides also remained at a lower level and the free flow of waters in the direction of the Lido fort was augmented, to the benefit of Port and Lagoon".

ALVISE ZORZI, *"Venezia scomparsa"*, VENEZIA, 1971, 393-399.

La perdita della chiesa di sant'Andrea della Certosa, o di Lido, è una delle più gravi tra quante ne ha subite il patrimonio artistico veneziano. Tanto maggiore è il rammarico, in quanto la si sarebbe potuta salvare, se le autorità del Regno Italico avessero accolto, nel 1807, la proposta del Podestà Daniele Renier e del Municipio, di adattare l'isola della Certosa a cimitero. "Così sariasi impedita la compiuta distruzione di magnifico tempio, una delle opere migliori di Pietro Lombardo, già descritta dal Temanza… ripieno di depositi insigni, ricco di marmi preziosi, fornito di ottime pitture, e ch'era de' primi ornamenti della città." Probabilmente, però, il decreto di Napoleone che volle il Cimitero nell'isola di san Cristoforo della Pace ha salvato la vita alla bella chiesa di San Michele in Isola, opera di un altro insigne architetto rinascimentale, il Condussi; ma il rammarico resta lo stesso, quando leggiamo le descrizioni entusiastiche, che ci rimangono della chiesa di Sant'Andrea e di tutta l'isola, alla quale era dato anche il nome di san Bruno da quando, nel 1424, ai religiosi Agostiniani, che vi si erano insediati sul finire del sec. XII, si erano sostituiti i monaci Certosini.

Le incisioni del Seicento e del Settecento ci mostrano l'isola verdeggiante d'alberi, con le caratteristiche casette, o celle, dei monaci, all'uso certosino, disposte, in numero di quattordici, in giro ad un ampio chiostro quadrangolare, che veniva chiamato "Galilea", ed era piacevolmente adorno di verdi *pelouses* e di cipressi. Un secondo chiostro, più piccolo, si appoggiava ad uno dei fianchi della chiesa; il priore aveva una cella più grande, un giardino privato ed

One of the gravest losses to the artistic heritage of Venice was that of the church of Sant'Andrea della Certosa, otherwise Sant'Andrea di Lido. Our regret is all the keener for the knowledge that it might have been saved, had the authorities of the Napoleonic Kingdom of Italy accepted the proposal put forward in 1807 by the Podestà Daniele Renier and the city council to convert the island to a municipal cemetery: 'Thus would surely have been avoided the destruction of a glorious temple, one of the greatest works of Pietro Lombardo, as described by [Tommaso] Temanza.. the depository of numerous important works, decorated with precious marbles, embellished with fine pictures, and one of the prime ornaments of the city" [Moschini]. On the other hand, the Napoleonic decree that instead established the cemetery on the island of San Cristofero della Pace probably saved the life of the lovely church of San Michele in Isola, the work of another eminent Renaissance architect, Mauro Codussi. The regret remains, none the less, especially when we read the enthusiastic descriptions that have come down to us both of the church and of the island as a whole, which was also sometimes known as San Bruno after 1424, at which date the Carthusian monks took the place of the Augustinian friars who had established themselves there towards the end of the 12th century.

Sixteenth and seventeenth century engravings depict an island well wooded with trees, having fourteen of the characteristic Carthusian little huts, or cells, arranged around an ample quadrangular cloister, which was called "Galilee", and was attrac-

una pescheria. C'erano la "cavana" per le barche, una foresteria per i visitatori, un'ampia casa colonica e diversi edifici conventuali, fra i quali il refettorio, dov'era esposta una Cena di Bonifacio Veronese, lodatissima dagli scrittori veneziani, che aveva ai lati le quattro figure dei santi *Bruno, Caterina, Girolamo e Margherita di Lione*, "dipinte in maniera grande, vera molto e saporita".Accanto alla chiesa, di cui diremo tra poco, si levava il campanile, di costruzione assai più tarda, di forma quadrangolare, con una cuspide a cupoletta.

L'isola comprendeva, "oltre le precedenti sontuose fabbriche, ... un orto vasto, altre volte una peschiera copiosissima di pesci, la quale aveva l'entrata, e l'esito delle acque per quanto si estendeva la lunghezza di un prato vastissimo fuori della clausura; e questo dava il comodo a' Cittadini di portarsi la State a diporto senza punto sturbare que' Religiosi dalle loro sante applicationi. Qui si trattengono continuamente in honorate conversationi Compagnie di letterati, godendo il piacere di quell'erboso passeggio, e 'l transito di tutti i Navigli che dalla Città vanno all'Isole, al Porto, ed al Lido...".

Il più bell'ornamento dell'isola era la chiesa, edificata dopo la venuta dei Certosini in base alle esigenze della loro Regola, che voleva i Religiosi separati dai fedeli durante le ufficiature. Il Temanza, che l'attribuiva con valide ragioni a Pietro Lombardo, ce ne dà una descrizione particolareggiata. Il corpo principale o antichiesa era a croce greca, con quattro cappelle negli angoli; un setto lo separava dalla parte riservata ai religiosi, dov'era la cappella maggiore, con due altre, una a destra, una a sinistra, in faccia alle quali se ne trovano ancora due, che, longitudinalmente rispetto al coro, arrivavano fino al setto. Lo stile era di ispirazione corinzia; nei pilastri e nelle pareti del setto erano incrostati marmi policromi, porfido, paragone, diaspri, serpentini, che lo rendevano ricchissimo; ai lati tra il coro e la cappella maggiore, colonne di marmo nero venato sostenevano l'architrave, sostenute a loro volta da pietre ornate da festoni di fiori e frutta graziosamente scolpiti. Il Paoletti, che vide presso un antiquario, prima che costui lo vendesse all'estero, un frammento di fregio in pietra d'Istria con un cherubino, delle foglie e un vaso con fiamme sormontato da una Fenice, fece, sia pure dubitativamente, il nome di Bernardino di Antonio da Bissone per queste sculture decorative, mentre, per l'edificio, che era appena finito nel 1492, pensò ad un intervento di Antonimo Rizzo in fase iniziale, e confermò la partecipazione di Pietro Lombardo, pubblicando il contratto stipulato il 14 aprile 1490 tra il priore Antonio Surian e un " maestro Lombardo muratore", che altri non può essere che il nostro Pietro.

Non dovevano però mancare, nonostante alcuni restauri effettuati nel primo Settecento, anche elementi decorativi d'epoca anteriore, come le due formelle gotiche, un tempo facenti parte di un altare, con le figure dei *Santi Marco, Antonio Abate, Giovanni Battista e Giovanni evangelista* entro specchi in traforo polilobati, oggi conservate al Seminario: raffinate opere della scuola dei Dalle Masegne, che ricordano addirittura parti della celebre ancona mar-

tively adorned with green lawns and cypresses. A second, smaller cloister ran alongside the church, and the prior had to himself a larger cell, a private garden and a fishpond. There was a covered boatyard, a guest-house for visitors, a substantial farm-building, and various monastic outhouses, among them a refectory, where a Last Supper by Bonifacio of Verona was displayed, a painting much praised by Venetian writers, and this was flanked by four portraits of the saints Bruno, Catherine, Jerome and Marguerite de Lyon, "painted in the grand manner, very truthful and profound" [Zanetti]. Next to the church, to which we will come shortly, rose a bell-tower of later construction, quandrangular and topped with a small cupola.

The island comprised "in addition to the already cited splendid buildings,... a vast garden, in those times complemented with a great fishpond teeming with fish, having sluice gates at either end as it extended the full length of a meadow beyond the monastic walls, where the citizens were able to ramble at their ease in the summer months without disturbing the holy observances of the monks. On these lawns would foregather likeminded souls for agreeable debate and pleasurable wandering, and to watch the coming and going of all kinds of craft between the city and the Lido and the islands and the port..." [Coronelli]

The chief ornament of the island was the church, built after the advent of the Carthusians in accordance with the stipulations of their order, which required the separation of the monks from the faithful during the office. Temanza, who had good reasons to attribute its construction to Pietro Lombardo, has left us a detailed description. The nave, or main body of the church, was on the Greek Cross plan, with four chapels in the corners; a screen separated the part reserved for the monks, where there was a High Chapel, flanked by two others to the left and right, and facing these, two others, running the length of the Choir as far as the screen. Stylistically the inspiration was Corinthian; the panels and pilasters of the screen were inlaid with polychrome marbles, porphyry, paragon, jasper and serpentine, to lush effect; at the sides, between Choir and the High Chapel, columns of veined Greek marble carried the architrave, themselves set on stone plinths decorated with gracefully carved festoons of fruit and flowers. Paoletti, who himself saw at an antique-dealer's, on the point of being sold abroad, a frieze fragment in pietra d'istria with a cherubim, foliage and a flaming jar topped by a phoenix, hazarded an attribution, for the sculptural decorations, to Bernardino di Antonio da Bissone, and for the building as a whole, which was newly finished in 1492, suggested an involvement on the part of Antonio Rizzo, in the initial stages at least, and confirmed the collaboration of Pietro Lombardo, publishing a contract drawn up in April 1490 between the then prior Antonio Surian and "a master stonemason of Lombardy" who can be none other than our Pietro.

There must also still have been, even after some early eighteenth century restorations, decorative elements remaining

morea di Jacobello e Pietro Paolo Dalle Masegne in San Francesco di Bologna, compiuta nel 1392.

La più ammirata tra tante opere d'arte che adornavano la chiesa, era il magnifico monumento sepolcrale che Antonimo Rizzo aveva scolpito per Orsatto Giustinian, o Zustinian, eminente e ricchissimo uomo politico e diplomatico, morto capitano generale nelle acque di Mitilene nel1464. Il Giustinian era una figura caratteristica del patriziato del suo tempo: su di lui correvano aneddoti singolari, come i due che racconta il genealogista Marco Barbaro e che vale la pena di riportare. Il primo narra come il Giustinian, che non aveva prole legittima, avesse due figlie naturali, e ne volesse maritare una ad un giovane gentiluomo, il quale si mostrava riluttante per via dell'origine irregolare della ragazza. "Allora Orsato fece distendere sopra la tavola un suo manto di velluto cremesino…e lì rovesciò sopra un vaso pieno d'oglio. Il giovine disse, che il manto era guasto per essa macchia, e lui la coperse tutta con ducati d'oro, e poi addimandò al giovine, se vedeva più la detta macchia, quale disse di no; così, rispose lui, faremo della putta, e li dette tanti ducati che si contentò torla per moglie". Il secondo riguarda una schermaglia avuta dal Giustinian con Alfonso d'Aragona, re di Napoli, il quale, sapendo "che il detto ambasciatore doveva andar da lui, ordinò che in quel luogo non vi fosse cosa alcuna da sedere. Egli si spogliò il manto, ch'era di restagno d'oro, e volgendolo insieme, di quello si fece uno scagno, e sendo espose ciò che volle dire: poi si partì, e lasciò il manto. Il re glielo mandò dietro, e lui non lo volse dicendo, che li ambasciatori veneti non portano seco li scagni".

Il monumento di tanto signore non poteva essere cosa da poco; e in verità l'opera del Rizzo, collocata nella ricca cappella eretta dal nipote di Orsatto, Marino Giustinian, suscitò generale approvazione nei contemporanei. Simile a quella del cardinale Giovanni Battista Zeno, che tutt'ora ammiriamo nella basilica di San Marco, ma, anziché di bronzo, in candido marmo di Carrara, l'urna si innalzava da terra, a mo' di sontuoso catafalco, fiancheggiata da figure che rappresentavano alcune *Virtù*; il Giustinian vi era raffigurato giacente. Nemmeno per un'opera così nobilmente rappresentativa della scultura del Rinascimento vi fu un minimo di riguardo: dopo che l'isola fu consegnata alle truppe di Marina, le milizie ne fecero scempio, distruggendola totalmente. Una delle statuette allegoriche, probabilmente quella raffigurante la *Fede*, che il Cicogna potè vedere intorno al 1827 presso l'abate Stiore, già monaco in sant'Andrea, sarebbe ora alla Ca' d'Oro; il Planiscig ne ha rintracciate altre due, in due collezioni viennesi, poi passate in America.

Tra gli altri personaggi illustri che erano sepolti in sant'Andrea, figuravano in prima linea due dogi, Nicolò Marcello e Alvise Pisani. Il primo, morto nel 1474 dopo sedici mesi di dogado, aveva disposto, nel proprio testamento, d'essere seppellito nella tomba di famiglia alla Certosa; e così fu, benché il magnifico monumento che lo ricorda, ed è oggi nella chiesa di SS. Giovanni e Paolo, venisse poi eretto nella chiesa di santa Marina, anch'essa distrutta. Il secondo,

from an earlier period, like the two gothic panels, once part of an altar, with the figures of S.Mark, S.Anthony abbot, John the Baptist and S.John the Evangelist, against a polilobularly pierced ground, now conserved in the Seminary: exquisite works of the Dalle Masegne school, which recall even parts of the celebrated marble altarpiece in the church of San Francesco in Bologna, sculpted by Jacobello and Pietro Paolo Dalle Masegne in 1392.

Of the many works of art that adorned the church, the most admired was the magnificent funerary monument that Antonio Rizzo carved for Orsatto Giustinian, or Zustinian, the eminent, and extremely rich, politician and diplomat, who died as captain-general in the waters of Mytilene in 1464. This Giustinian was an emblematic figure of the patriciate of his time: a number of unusual anecdotes about him were current in those days, like the two which the genealogist Marco Barbaro reports, which are worth repeating here. The first recounts how Giustinian, having no legitimate heirs, but two natural daughters, wished to marry one of them off to a certain young gentleman, who was showing a certain reluctance on account of the girl's irregular background. "Orsato therefore spread out on a table a crimson velvet cloak… and poured over it a vaseful of oil. The young man agreed that the mantle was ruined by the stain, but when asked again if he could see the stain, the cloak having been in the meantime covered with gold ducats, allowed that he could not. We will do the same with the maid, said the nobleman, and gave him so many ducats that he took her happily to wife". The second records a skirmish between Giustinian and Alfonso of Aragon, King of Naples. The latter, knowing "that the aforementioned ambassador was to wait on him, ordered that no place to sit down be provided. He, however, swept off his mantle of gold thread, and folding it up, made a footstool of it, and seated thereon pronounced his message; he then took his leave, abandoning the mantle. The king duly sent it after him, but he would not accept it, saying that Venetian ambassadors were not in the habit of carrying footstools about with them."

The monument to such a grandee could hardly be a negligible thing, and in fact Rizzo's great work, erected in the grandiose chapel built by Orsatto's nephew Marino Giustinian, was greeted with general appreciation by his contemporaries. Not dissimilar to that of the Cardinal Giovanni Battista Zeno, which we can still admire in S.Mark's Basilica, but of white Carrara marble rather than bronze, the urn rose from the ground like a sumptuous catafalque, flanked by figures representing the Virtues; Giustinian himself was represented lying full-length. Not even such a nobly representative example of renaissance sculpture was to be afforded a minimum of respect: after the island was handed over to the Navy, the marines vandalised it, eventually destroying it utterly. One of the allegorical figures, probably representing Faith, which Cicogna spotted around 1827 in the possession of the abbot Stiore, previously a monk at Sant'Andrea, is now in the Ca' d'Oro; Planiscig traced a further two, in separate Viennese

Alvise Pisani, doge dal 1735 al 1741, diplomatico avveduto, e così splendido nelle ambascerie che si diceva che con lui viaggiasse la maestà del Senato veneziano, era sepolto vicino all'altare di san Pietro assieme ai fratelli Carlo, Cavaliere e procuratore, provveditore generale in Dalmazia e Albania, Almorò, già membro del Consiglio dei Dieci e Inquisitore di Stato, erudito bibliofilo, e Andrea, cavaliere e procuratore, ultimo capitano generale "da mar"della Repubblica, morto nel 1718 a Corfù, dalle cui mura aveva respinto due anni prima l'assedio Ottomano. L'iscrizione che si conserva nella raccolta lapidaria del Seminario, era in onore del Capitano Generale; ai lati erano appesi due stendardi strappati da lui ai Turchi, prima che la pace di Passarowitz lo costringesse a interrompere le ostilità.

Non mancavano le memorie di altri valorosi soldati veneziani: dirimpetto all'altare di finissimi marmi fatto erigere da Alvise Grimani, arcivescovo di Candia, morto nel 1619, donatore di molte reliquie ai Certosini, un secondo altare, con quattro colonne e varie sculture, cinque delle quali rappresentavano la *Fama* e le *Quattro virtù cardinali*, era stato eretto in onore di Giovanni Battista Grimani, nipote dell'arcivescovo, capitano generale contro i Turchi, morto sommerso da una tempesta nelle acque di Psarà, nell'Egeo, nel 1648. La pala raffigurava il *Crocefisso con la Madonna e Santi e il Grimani* ritratto nelle vesti generalizie. Altrove si vedevano le iscrizioni di Jacopo Barbarico provveditore in Morea, impalato dai Turchi in vetta della rocca di Patrasso nel 1466, e di Girolamo Barbarigo, fratello dei due dogi Marco e Agostino, provveditore in Romagna contro Galeazzo Maria Visconti nel 1467.

Per qualche tempo avevano sostato in Sant'Andrea anche le spoglie di un terzo Barbarigo, Agostino, caduto eroicamente nella battaglia di Lepanto. Altri uomini illustri erano ricordati degnamente nella chiesa: il patriarca di Venezia Antonio Surian, morto nel 1508, stimato scrittore di ascetica, il segretario del Senato Antonio Vinciguerra, uomo dottissimo, Cristoforo Marcello, bailo a Costantinopoli nel 1436, e moltissimi ancora, tra i quali lo squisito poeta Leonardo Giustinian, morto nel 1446, la cui arca si trovava nel chiostro.

Tra le cappelle, oltre a quella di Orsatto Giustinian, dove la pala d'altare era di Alessandro, figlio di Giambattista Maganza, era "veramente regia" quella di casa Nani; quella del procuratore Jacopo Soranzo era ornatissima, con un altare di marmo "a mezzo rilievo di assai gentile mano scolpito", i cui resti sono due altorilievi di gusto sansovinesco, raffiguranti le *Sante Cecilia e Caterina*, oggi nell'oratorio del Seminario, ai lati di un bassorilievo raffinatissimo, opera di Tullio Lombardo, un tempo appartenente ad un altro altare di questa stessa chiesa, alla quale apparteneva anche il bassorilievo del periodo donatelliano di Pietro Lombardo, raffigurante l'*Adorazione del Bambino Gesù*, pure nelle raccolte del Seminario.

La pala dell'altare maggiore era la *Vocazione di Pietro e Andrea* di Marco Basaiti, "dove si vedono bellissimi e vaghissimi paesi, colori vivissimi et figure con molta grazia": oggi è all'Accademia di Ve-

collections, later ceded to America.

Among the other notable figures buried in Sant'Andrea, two Doges occupy the front rank, Nicolò Marcello and Alvise Pisani. The first, who died in 1474 after sixteen months in office, had disposed in his will that he be laid to rest in the family tomb at the Certosa; and this was done, although the magnificent memorial to his memory now in S.Giovanni e Paolo, had been earlier reconstructed in the church of S.Marina, also in its turn destroyed. The second, Alvise Pisani, Doge from 1735 to 1741, a shrewd diplomat, and so gorgeous in his ambassadorships that it was said that with him travelled the whole majesty of the Venetian state, was buried near the altar to S.Peter together with his brothers Carlo, Cavaliere and Procurator, Commander-in-chief in Dalmatia and Albania, Almorò, sometime member of the Council of Ten and State Inquisitor, erudite bibliophile, and Andrea, also Procurator and Cavaliere, the last Captain General 'at sea' of the Republic, deceased in 1718 at Corfu, from whose walls he had two years earlier repulsed the besieging Ottomans. The inscription, now preserved in the Seminary's stonework collection, was to the honour of the Captain general, and at the sides were hung two banners seized by him from the Turks, before the Treaty of Passarowitz forced him to abandon hostilities.

A host of other valiant Venetian soldiers were also remembered here: opposite the fine marble altar erected by Alvise Grimani, archbishop in Crete, who died in 1619, a donor of many relics to the Carthusians, a second altar with four columns framing various sculptures, five of which figured Fame and the Four Cardinal Virtues, honoured Giovanni Battista Grimani, nephew of the archbishop, Captain General against the Turks, drowned in a storm at sea off Psara, in the Aegean, in 1648. The altarpiece showed a Crucifixion with Madonna and Saints and Grimani in his general's armour. Elsewhere an inscription recalled Jacopo Barbarigo, Administrator in Morea, impaled by the Turks on the heights of Patras in 1466, and another, Girolamo Barbarigo, brother to the Doges Marco and Agostino, himself Commander in Romagna against Galeazzo Maria Visconti in 1467.

For a period the remains of a third Barbarigo were also housed in Sant'Andrea, Agostino, who fell heroically at the Battle of Lepanto. Other figures of importance appropriately remembered in the church included the patriarch of Venice Antonio Surian, also an admired theological writer, who died in 1508, Antonio Viciguerra, a man of great learning and Secretary to the Senate, Cristoforo Marcello, Bailo in Constantinople in 1436, and many more, among whom the fine poet Leonardo Giustinian, who died in 1446, whose sarcophagus used to lie in the cloister.

Amongst the chapels, apart from that of Orsatto Giustinian, where the altarpiece was by Alessandro Maganza, son of Giambattista, that of the Nani family was described as "truly regal", that of the Procurator Jacopo Soranzo was extremely ornate, with a marble altar "in half-relief, carved by a very delicate hand" [Sansovino], of which survive two high-reliefs of Sansovi-

nezia. Di un *Cristo portacroce* di Tiziano, del quale faceva cenno il Sansovino parlando della cappella del Senatore Federigo Valaresso, non fanno più cenno gli altri autori; i quali, all'infuori del Boschini, non fanno più cenno nemmeno di un *San Giosafat e due angeli* del Tintoretto, che invece sarebbe stato ancora nel 1797 sopra una delle porte che mettevano in convento. Ci rimane invece il bel polittico di Bartolomeo Vivarini che si vedeva nella cappella di casa Morosini, detta anche del Capitolo, e ci rimane la bella tavola, firmata, di Andrea da Murano, che nel Settecento era appesa alla parete sinistra della navata. Tra le altre pitture, due pale erano di Jacopo Palma il Giovane, una di Nicolò Renieri; un quadro del Cavalier Celesti era collocato al disopra della pala dell'altar maggiore. Tra gli altri ornamenti, probabilmente nella sacrestia, era il bel lavabo lombardesco con un'iscrizione, del quale ci rimane un disegno.

Definitivamente soppressi, nel 1810, monastero e chiesa, e consegnati alle truppe di Marina, tutto fu demolito e disperso: già nel 1827 Emanuele Cicogna, che, per desiderio di Antonio Dinon, coltivatore dell'area della scomparsa Certosa, aveva dettato un'epigrafe per un'edicola commemorativa, non vi trovava più nulla, all'infuori di una casa colonica.

Il coro ligneo, trasferito nella Basilica di San Marco nel 1810, è stato rimosso recentemente anche di là. Una delle due pale del Palma, quella con la *Pietà e i santi Francesco, Domenico e Girolamo*, veniva consegnata il 18 gennaio 1834 alla cattedrale di Ceneda, in virtù del decreto vicereale dell'8 settembre 1833; da una distinta del 4 agosto 1837 risulta che una pala con *Cristo in Croce* (probabilmente quella del capitano generale Grimani) era stata assegnata in deposito ad " una parrocchiale del Trevisano". Il 27 luglio 1839 una pala di scuola bolognese con *La Madonna col Putto e San Bruno* (evidentemente quella di Nicolò Renieri) era concessa in deposito alla chiesa di San Zenone di Aviano, in provincia di Udine. In luogo della elegante cupola di Pietro Lombardo si levano alte le antenne di una stazione radiotelegrafica della Marina, mentre si discute se fare dell'isola un nuovo *terminal* automobilistico.

nian inspiration, depicting S.Cecilia *and* S.Catherine, *now in the Oratory of the Seminary, and at the sides a very fine bas-relief, a piece by Tullio Lombardo, at one time part of another altar in the same church, to which belonged also another bas-relief from Pietro Lombardo's Donatellian period, picturing the* Adoration of the Child Jesus, *this too in the Seminary collection.*

The High Altarpiece was a Calling of Peter and Andrew *by Marco Basaiti, "in which was revealed a most beautiful and charming landscape, very lively colours and figures of great gracefulness" [Sansovino]: it is today in the Accademia in Venice. A* Christ Bearing the Cross *by Titian, which Sansovino mentions in connection with the chapel of the senator Federigo Valaresso, is not again cited by other authors, who are also, with the exception of Boschini, silent with regard to a* S.Jehoshaphat with Two Angels *by Tintoretto, which was nonetheless apparently still to be seen in 1797 over one of the doors leading into the monastery. We do still have however the beautiful polyptych by Bartolomeo Vivarini which once graced the Morosini family chapel, also known as the Chapter Chapel, also a lovely panel signed by Andrea da Murano, which hung in the seventeenth century on the lefthand wall of the nave. Among the other paintings, two altarpieces were by Jacopo Palma il Giovane, and another by Nicolò Renieri; a painting by Cavalier Celesti was hung above the High Altarpiece. Other ornaments included, probably in the sacristy, a fine lombardesque lavabo with an inscription, of which we have at least a drawing.*

The monastery and its church were definitively suppressed in 1810, and handed over to the navy, after which everything was demolished or dispersed: as early as 1827 Emanuele Cicogna, commissioned by Antonio Dinon, who then farmed the area of the lost Charterhouse, to provide an epigraph for a commemorative shrine, found on the site nothing but an agricultural building.

The wooden choir, transferred to S.Mark's Basilica in 1810, has recently been moved from there also. One of the two Palma altarpieces, a Pietà with S.Francis, S.Dominic and S.Jerome, *was handed over on 18th January 1834 to the cathedral at Ceneda, in obedience to a viceregal decree of 8th September 1833; from a document dating to 4th August 1837 it appears that an altarpiece of* Christ Crucified *(probably from the memorial of the Captain General Grimani) was given on consignment to "a parish in the Treviso circumscription". And on 27th July 1839 an altarpiece of the Bologna school of The* Madonna with Putto and S.Bruno *(presumably the one by Nicolò Renieri) was granted on consignment to the church of S.Zenone at Aviano, in the province of Udine. In place of Pietro Lombardo's elegant cupola now soar the antennae of a naval radio station, and discussions are afoot to turn the island into a carpark.*

LA CERTOSA

Alla Certosa esistevano circa 115 abitazioni. Di vaste proporzioni (16 ha circa) è la più grande tra le isole abbandonate, si trova di fronte a S. Elena tra il lido e le Vignole.

There were once some 115 habitations on the Certosa. At nearly 40 acres it is the largest of the abandoned islands, situated between the Lido and le Vignole.

LA CERTOSA

Un cortile abbandonato.

The abandoned courtyard.

LA CERTOSA

Impianti militari nell'isola. Esisteva uno stabilimento per la fabbricazione degli esplosivi.

Military installations on the island. There was once a munitions factory here.

LA CERTOSA

Le pareti d'istria del casello da polvere, è quello che rimane d'antico. L'approdo è difficile a causa del basso fondale del ghebo d'entrata.

The Istrian stone walls of the powderhouse are the only antique survival. Mooring is difficult on account of the limited depth of the access canal.

ISOLA DEL LAZZARETTO NUOVO

LAZZARETTO NUOVO

La fitta serie dei camini del Lazzaretto sulla stampa del Tironi-Sandi. La repubblica nel 1458 fece costruire delle istallazioni per l'espurgo delle merci, e abitazioni per i militari in contumacia.

The distinctive chimneyed skyline of the Lazzaretto in a Tironi-Sandi print. In 1458 the republic had warehouses built here for the screening of infected merchandise, as well as lodgings for quarantined soldiers.

XIII. ISOLA DEL LAZZERETTO NUOVO.

LAZZARETTO NUOVO

Incisione del Visentini. Il Lazzaretto fu chiamato Nuovo per distinguerlo da quello precedente di fronte al Lido, che fu chiamato Vecchio.

A Visentini engraving. The lazaret was called Nuovo to distinguish it from that formerly used for the purpose, in front of the Lido, which duly became the Lazzaretto Vecchio (Old Lazaret).

STORIA DEL LAZZARETTO NUOVO ATTRAVERSO LA DESCRIZIONE DI ALCUNI AUTORI
THE HISTORY OF LAZZARETTO NUOVO ACCORDING TO THE DESCRIPTIONS OF VARIOUS AUTHORS

ERMOLAO PAOLETTI, *"Il Fiore di Venezia"*, VENEZIA, 1837, vol. I, 133-134.

Vicina a quest'isola, e presso il lido di s. Erasmo, v'ha quella chiamata s. Maria stella coeli, dove eremiti vi erano un tempo. Nel 1458 fu ridotta a Lazzaretto per l'espurgo delle merci e pel ricovero delle milizie soggette a contumacia. Esso avea cento camere, ed una vigna serrata che di lontano gli dava l'aspetto di un castello d'ampio circuito. Vi soggiornava in una casa separata un priore eletto ad ogni quattro anni dal consiglio de' quaranta al criminal con competente provvedimento affinché vigilasse alle merci poste in contumacia. Ora però abbandonossi pegli usi di lazzaretto e si diè al genio militare che lo convertì in una polveriera. Fu "nuovo" denominato per distinguerlo dall'altro lazzaretto detto "vecchio" posto in parte più meridionale della laguna siccome in seguito dichiareremo. Assai si rese celebre questo nuovo per l'uso fatto dalla Repubblica in quella peste del 1576 che fece erigere il votivo tempio del Redentore. Chiunque in tale incontro fosse caduto in sospetto veniva quivi condotto, e se non avesse avuti modi sufficienti, alimentavasi per ventidue giorni a pubbliche spese. Che se in tale spazio si fosse manifestato veramente infetto, traducevasi al lazzaretto vecchio; se no, trascorsi 22 giorni, potea ripatriare. Così di mano in mano la popolazione di Venezia passò in quest'isola e nel vicino lido di s. Erasmo. Nell'una e nell'altro grandi case di legno vennero costrutte, ma come non bastevoli, si distribuirono intorno l'isola vari arsili, ovvero galere sfornite, ed alcuni grossi vascelli spalmati, sui quali altre case di legno vennero pur costrutte. In alto d'un vascello stava inalberata la bandiera, oltre la quale non era lecito il varcare, ed ivi presso una forca pel castigo dei trasgressori. Tremila e più persone erano quivi per tal modo accolte, alle quali se aggiungansi i serventi, i ministri e la truppa, da otto in nove mila persone ogni giorno quivi s'alimentavano dalla Repubblica durante quella calamità. Magazzini immensi di medicine e di viveri, sacerdoti, medici, chirurghi, farmacisti, levatrici, quanto insomma occorra ad intera popolazione tutto era qui pronto. E con ordine sopra modo mirabile veniva ogni cosa eziandio distribuita. Allo spuntare dell'aurora arrivavano i visitatori, che scorrendo l'isola, il lido e la flotta, si informavano minutamente sullo stato di ciascheduno per fare trasferire al lazzaretto vecchio gli appestati. Non molto tempo dopo sopravvenivano altre barche con ogni sorta di commestibili da essere dispensati in ragione di 14 soldi per bocca. A queste, nuove barche succedevano coll'acqua tolta dal Sile, e sorto già il sole, tutto mettevasi in quiete perché in mezzo al lido celebravasi la messa a vista della flotta ancorata e dell'isola. Tramontando il giorno, le turbe divise in due

Not far from the former island, near the shore of S.Erasmo, we find the island of S.Maria Stella Coeli, formerly populated by hermits. In 1458 it was converted to a Lazaret for the fumigation of infected merchandise, and the quarantining of troops. It was possessed of 100 rooms and an enclosed vineyard, so that from a distance it appeared a castle of considerable circumference. A separate dwelling lodged a prior elected every four years by the Council of Forty for Public Order, with the task of overseeing the quarantined merchandise. Latterly, no longer being required for quarantining, the island was given over to the military, who converted it to a magazine. The 'Nuovo' ('New') in its name was to distinguish this island from the Lazzaretto Vecchio, more towards the southern part of the Lagoon, as we will see shortly. This new Lazzaretto became particularly famous for the use made of it by the Republic during the plague of 1576 which gave rise to the construction of the votive church Il Redentore. Anyone suspected of infection during this epidemic was conducted here, and if without private means of sustenance, was fed for 22 days on the public purse. If during this period the internee turned out to be genuinely infected, he or she was transported to the Lazzaretto Vecchio, or in the opposite case, after the said 22 days was allowed home. Thus did the population of Venice pass gradually through this island and the adjacent coast of S.Erasmo. In both places great houses of wood were erected, and when these proved insufficient, floating platforms, or stripped galleys, or other ships with levelled decks, were distributed around the island, and further wooden houses built on these. On the topmast of one of these vessels fluttered a warning flag, beyond which any nearer approach was forbidden, and nearby was set up a gallows for the summary punishment of infractors. Some three thousand or more souls were housed here in this manner, and what with the addition of servants and troops, eight or nine thousand were fed daily by the republic at the height of the calamity. Huge warehouses of medicines and foodstuffs, priests, doctors, surgeons, pharmacists, midwives, in short every service for an entire community was here provided. Every necessity was likewise distributed with wonderful efficiency. At the first light of dawn arrived the controllers, who would cover the whole island, shore and fleet, minutely checking each person with a view to transferring the plague-infected to the Lazzaretto Vecchio. Shortly after, other craft would appear laden with every sort of comestible to be distributed at the rate of 14 soldi a head, and then another

cori facevano echeggiare ogni spiaggia col canto delle Litanie e de' Salmi: la notte poi ogni cosa in alto silenzio rimaneva, né il minimo rumore era permesso. Di là dal lido vedevasi il mare coperto di navigli che dall'Istria e dalla Dalmazia portavano viveri, provvigioni ed immensa quantità di ginepro. Quest'ultimo, in grandi pire accolto, dì e notte facevasi ardere sul lido spargendo l'odoroso suo fumo a grande distanza sulla laguna e sul mare. Permesso però veniva a certe ore del giorno sì a' parenti che agli amici il recarsi a' loro congiunti, discorrere da lungi e regalarli di vivande e di rinfreschi. Tale dolcezza meglio avvivasi pegli applausi fatti al sopravvenire di coloro che assumevano il posto de' licenziati o de' trasferiti agli spedali. Ciascun giorno ne giungevano da 50 a 60 barche, e i nuovi ospiti sentivano le proteste della felicità provata in quel luogo e le benedizioni inviate alla Repubblica, che così avea provveduto al ben essere de' cittadini. Eppure tali provvidenze si prodigavano in un secolo che esaurì milioni e milioni per la guerra di Cambrai, per quella di Cipro, per le grandiose fortificazioni delle città di qua e di là dal mare, pei lavori dei fiumi, e per fabbriche quasi inenarrabili!

wave of barges with barrels of fresh water from the river Sile, and now, with the sun risen, all would fall quiet, as a mass was celebrated on the shoreline, in sight of both the island and the fleet. Again, at the day's end, the multitude, divided into antiphonal choirs, made the beaches echo with choruses of psalm and litany; and then for the duration of the night utter silence prevailed, the least noise being prohibited. Citizens and strangers alike were astonished, and moved, by the discipline and good order maintained in this crisis. Offshore could be seen a sea covered with ships, bringing from Dalmatia and Istria provisions and foodstuffs and vast quantities of juniper. This last was heaped into great pyres and burnt during the night along the shore, spreading its scented smoke across the lagoon and out to sea. Yet permission was also given at certain hours of the day to friends and relations to visit their dear-ones, discourse at length with them, and supply them with food and drink. And nowhere was this solicitude more evident than in the welcome given to those arriving to take the place of those discharged or transported to hospital. Every day there arrived some 50 or 60 boatloads of these, and the new arrivals were greeted by assurances from the quarantined of their contentment in that place, and blessings were heaped on the head of the Republic for its manifest concern for the wellbeing of its citizens. And all this generous provision was lavished in a century which had already exhausted millions in the campaigns of the Wars of Cambrai and of Cyprus, and on grandiose fortifications to the city itself and to bastions here and there about its seas, on the diversion of rivers, and all but ceaseless building activity!

LUIGI CARRER, Isole della laguna e Chioggia, in *"Venezia e le sue lagune"*, VENEZIA, 1847, vol. II, 489-499.

Trovasi presso il lido di Sant'Erasmo. E non già ch'essa, come erroneamente scrisse il Filiasi e scrissero altri molti, s'intitolasse S.Maria Stella Coeli, del qual nome s'è già detto poc'anzi.
Grande celebrità si acquistò questo secondo Lazzaretto nella peste del 1576, e darebbe luogo a vivissima descrizione, se questo fosse luogo da ciò, ciò che vi accadde in quel tempo. Vegga, chi ne ha desiderio il "Fiore di Venezia".
Quanto opportuni gli edifizi de' Lazzaretti, e parliamo singolarmente del vecchio che dura tuttavia nell'antico suo ufficio, al provvido intendimento con cui furono eretti, tanto, come ben osserva il Moschini (Guida per la città di Venezia, 1815), nulla offrono all'amico dell'arti che meriti particolari considerazioni. Il nuovo Lazzaretto non ad altro serve al presente che a custodire polveri d'arcobugio.

This island was not far off the shore of S.Erasmo, and it is not the case, as has been claimed by Filiasi and many others, that it was formerly known as S.Maria Stella Coeli, the proper attribution of which has been discussed above. This second Lazzaretto achieved considerable renown during the plague of 1576, and one could write vividly and at length, if this were the place for it, of the extraordinary events there at that time. Those interested may consult 'Il Fiore di Venezia'.
For all their fitness for the beneficial purpose which occasioned their construction, the buildings of the two Lazarets - and we refer here chiefly to those of the Lazzaretto Vecchio, whose function has been maintained from antiquity to the present day - offer in themselves little worthy of particular remark to the lover of the Arts, as Moschini has justly observed (in his 'Guida per la Città di Venezia', 1815). The New Lazaret serves no other purpose at the present time than a storehouse for musket-powder.

RICCIOTTI BRATTI, *"Vecchie isole veneziane"*, VENEZIA, 1913, 17-21.

Un'isola invece che certamente non servì, né meno nei vecchi tempi, alle "honorate conversationi" delle "Compagnie dilettevoli" era il Lazzaretto Nuovo. Prima di questo esisteva già, mezzo miglio discosto da san Lazzaro, un altro Lazzaretto, chiamato Lazzaretto Vecchio, che occupava tutta l'isola nella quale gli Eremitani nel 1249 aveano eretto un tempio dedicato a santa Maria di Nazaret. In quell'isola venivano accolte e tenute in conservazione le merci e le persone provenienti da paesi infetti, e i colpiti da mali contagiosi durante il tempo nel quale Venezia veniva funestata da qualche pestilenza. Vuolsi che da Nazaret derivasse "Nazaretum" e quindi Lazzaretto, come oggi universalmente accolto per indicare gli ospedali degli ammalati e dei sospetti di peste.

Poco lungi da sant'Erasmo trovasi invece il Lazzaretto Nuovo, chiamato così perché, dimostratosi insufficiente quello Vecchio, il Senato con decreto dei 10 Luglio 1468 trasformava anche l'isola della "Vigna Murata" in pubblico ospedale per gli appestati. L'isola della Vigna Murata, circondata in antico da un' alta muraglia e con un oratorio dedicato a san Bartolomeo, apparteneva ai frati di san Giorgio Maggiore i quali ritraevano un non piccolo vantaggio dai fertili vigneti che occupavano tutto il verdeggiante dosso. La salute pubblica tuttavia avea anche allora i suoi diritti ed, espropriata l'isola per l'interesse generale della città, i monaci di san Giorgio vennero compensati con un livello di 50 ducati che doveano loro pagare i Provveditori al Sale.

Nel Lazzaretto Nuovo, che avea l'aspetto di un Castello, esistevano belle ortaglie e fabbricati comodi e sufficienti per l'uso a cui doveano servire: dipendeva esso completamente dal Magistrato alla Sanità, così che anche gli appositi incaricati a provvedere le vivande necessarie, chiamati volgarmente "Cadrai", da quel Magistrato venivano eletti, e per poter esercitare il commercio doveano nella loro piccola barca alzare una banderuola recante la scritta "Sanità". Ricorda il Sansovino come durante la pestilenza del 1576 nell'isola si trovassero in osservazione circa 10.000 persone e nell'acque intorno si vedessero fermi oltre 3.000 legni tra grandi e piccoli, i quali aveano "sembianza d'armata, che assediasse una città di mare".

La Repubblica manteneva a sue spese per un determinato numero di giorni, i ricoverati poveri, i quali si affrettavano a dar coraggio ai nuovi venuti, assicurandoli che nel Lazzaretto non si lavorava e che "erano nel paese di Cucagna": non dovevano in verità passarsela molto male laggiù se numerose barche "andavano a visitare le loro brigate con diversi rinfrescamenti". Ma, per strano contrasto, una bandiera sventolante dall'alto indicava il limite oltre il quale non era lecito avanzare e ammoniva tutti che là presso si ergeva la "forca", pronta a far giustizia di coloro che non avessero obbedito agli ordini dei Provveditori sopra la Sanità. Ordini che si mantennero sempre rigorosi e che vennero scrupolosamente osservati anche in progresso di tempo: una scrittura del 1721 infatti ricorda come

One island that was not, even in older times, dedicated to the "agreeable debate" of likeminded souls was the Lazzaretto Nuovo. Another lazaret, half a mile from S.Lazzaro, known as the Lazzaretto Vecchio, was already in existence, occupying the whole of the island on which the Eremitani had constructed in 1249 a church dedicated to S.Mary of Nazareth. Here goods and persons from other infected ports were quarantined and kept under observation, as well as those brought down with contagious diseases during one of Venice's periodic visitations of the plague. It is supposed that from 'Nazareth' derived 'Nazaretum', and thence 'lazaret', a term now everywhere adopted to denote a hospital for those sick with the plague, or suspected of such sickness.

Across the lagoon in the vicinity of S.Erasmus, we find the Lazzaretto Nuovo, so called because by a decree of July 10th 1468 the Senate ordained that the island known as Vigna Murata should be converted to an additional public hospital for the plague-infected, as the Lazzaretto Vecchio had proved to have insufficient capacity. This island vineyard, in former times circled by a high wall (whence its name) and with a chapel dedicated to S.Bartholomew, belonged originally to the monks of S.Giorgio Maggiore, who enjoyed a not inconsiderable return from the fruitful vines which covered its green contours. Public health however, even in those times, took precedence, and the island was expropriated for the general good of the city, the monks being compensated with a rent of 50 ducats to the charge of the Salt Commissioners.

Within the Lazzaretto Nuovo, which had the external aspect of a fortress, there were handsome vegetable gardens and commodious buildings already in existence sufficient for their new function. The island was administered directly by the Health Magistracy, so that the officials responsible for its provisioning, known in the dialect as 'cadraì', were appointed by that magistracy and when engaged in trade on the lazaret's behalf hoisted a pennant sporting the lagend SANITÀ (HEALTH) on their small boats. Sansovino records that during the plague of 1576 some 10,000 persons were kept under observation on the island, with more than 3000 vessels great and small moored round about, giving the impression of a great armada laying siege to a seaport.

The Republic maintained the poorer patients at the public expense for a set number of days, those already resident hastening to reassure the new arrivals that they had beached on the Island of Cockayne and could lie there in easeful indolence, and in truth their sojourn was very likely more than tolerable, with numerous small boats daily bringing in members of their clan, laden with refreshments of every kind. None the less a flag fluttering above marked the precise limits of approach and all alike were given to understand that a gallows had been erected on the premises to administer swift justice to transgressors of the

alcuni bastimenti provenienti da Marsiglia, allora colpita dalla peste avessero dovuto starsene in osservazione per 118 giorni, durante i quali le merci infette vennero fatte sbarcare al Lazzaretto Nuovo dopo che i bastimenti stessi erano stati "espurgati, adacquati e fumicati sino per tre volte con valevoli bitumi". Le cure della Repubblica per attenuare le conseguenze dei morti contagiosi non cessarono mai; tuttavia era d'uopo lottare, oltre che col male, anche con l'ignoranza e con i pregiudizi del popolo il quale, meglio che i provvedimenti del Governo e nei consigli della scienza avea fede nei digiuni e nelle penitenze.

rule of the Health Commissioners, a rule that was rigorously maintained and scrupulously observed even with the passage of years; in fact a document from 1721 records how a convoy from Marseilles, at that time in the grip of an epidemic, was kept under observation for 118 days, during which time the potentially infected cargo was disembarked at the Lazzaretto Nuovo while the freighters themselves were scoured, hosed out and fumigated as much as three times over with a potent pitch mixture. The efforts of the Republic to counteract the spread of contagious deaths were unceasing, but this necessitated not only fighting the diseases themselves, but also the ignorance and prejudice of the common people who continued to trust rather to fatalism and quackery than the measures of their government and the counsels of science.

EUGENIO MIOZZI, *"Venezia nei secoli"*, VENEZIA, 1957 vol. III, 233.

Il Lazzaretto Nuovo fu istituito nel 1468 con decreto del 10 luglio con lo scopo di isolare persone sane che avessero avuto contatto con malati, e fu prescelta l'isola chiamata della Vigna Murata, cosiddetta perché tutta circondata da alto muro; essa apparteneva ai monaci di S.Giorgio ed era situata tra S.Erasmo e Murano: oggigiorno non c'è rimasto più nulla di quel che prima era, perché fu trasformata come tante altre isole in deposito militare.

Ora vi si vede un casermone, protetto da griglie antifulmine, il cui unico compito è quello di far vivere un guardiano e la sua famiglia.

The Lazzaretto Nuovo was established by decree on July 10th 1468 with the scope of quarantining healthy persons who had been in contact with carriers of disease, the island known as 'Vigna Murata' - so called because it was completely enclosed by a high wall - being selected for this purpose. This had formerly belonged to the monks of S.Giorgio, and was situated between S.Erasmo and Murano. Nothing remains now of its original disposition, as it was subsequently - like a number of other islands - given over to a military depot.

The island is dominated by an ample barracks, protected by lightning grilles, whose sole purpose today is to house a custodian and his family.

LAZZARETTO NUOVO

L'isola come appare oggi dal canale di S. Erasmo. Il presidio dei lagunari è stato abbandonato nel 1975.

The island as it appears from the S.Erasmo canal. The lagoon garrison headquarters was abandoned in 1975.

LAZZARETTO NUOVO

Il "Tezon grande". Tutti i soggetti appestati erano ricoverati per 22 giorni a spese pubbliche; se si manifestava il contagio venivano essi condotti al Lazzaretto Vecchio.

The Great Barn. All those suspected of the plague were detained here at public expense for 22 days, and if showing signs of contagion were removed to the Lazzaretto Vecchio.

LAZZARETTO NUOVO

Interno del "Tezon grande".

Interior of the Great Barn.

198

LAZZARETTO NUOVO

L'ingresso a due anni dall'abbandono.

The entrance two years after abandonment.

LAZZARETTO NUOVO

Il cortile: al centro esisteva la chiesa e la prioria.

The former quadrangle; in the middle there was a church and a priory.

Una vera da pozzo nascosta tra i rovi.

A well-head hidden amid shrubbery

ISOLA DI S. TOMMASO BORGOGNONI

S.TOMMASO BORGOGNONI

L'isola e la chiesa di S.Tommaso dei Borgognoni era così chiamata per l'ordine dei Cistercensi che vi abitava, sorto in Borgogna nel X secolo. Nel 1669 i monaci a causa dell'insalubrità dell'aria si trasferirono a Venezia nel monastero della Madonna dell'Orto.

The island and church of S.Tommaso 'dei Borgognoni' ('of the Burgundians') was so called after the Cistercians who lived on it, their order having been founded in Burgundy in the tenth century. In 1669, on account of the foulness of the air, the monks transferred to the monastery of Madonna dell'Orto in Venice.

STORIA DI S. TOMMASO BORGOGNONI ATTRAVERSO LA DESCRIZIONE DI ALCUNI AUTORI
THE HISTORY OF S. TOMMASO BORGOGNONI ACCORDING TO THE DESCRIPTIONS OF VARIOUS AUTHORS

ERMOLAO PAOLETTI, *"Il Fiore di Venezia"*, VENEZIA, 1837, vol. I, 106-107.

Dove più fedeli ci giunsero i documenti egli è sulla prossima isola detta de' Borgognoni, ch'ebbe chiesa parrocchiale primieramente. Ad instigazione di certo piovano nominato Rodolfo, il nobile Marco Trevisan di S.Giovanni novo di Venezia, fabbricò accanto di essa un monastero, lo dotò e lasciollo a' suoi eredi in perpetuo juspatronato. Primi abitatori ne furono i canonici regolari di S.Agostino (an.1190) i quali bentosto, per ignota cagione, l'abbandonarono. Vennero allora chiamati alcuni monaci cisterciensi dalla Borgogna onde il monastero e l'isola acquistarono il nome de' Borgognoni. Non prima del 1200 ebbe per altro il titolo di abazia, dacchè glielo ricusava il capitolo generale cisterciense ove non avesse innanzi ridotte le sue rendite a poter provvedere 24 monaci. Ma la santa esemplarità del vivere assai presso indusse ed Ottaviano Querini ed il doge Pietro Ziani e gran numero di private persone a donare a quel cenobio e in Candia e in Costantinopoli e in vari luoghi del veneto dominio possessioni, conventi, oggetti preziosi. Salì anzi in tale fama che da esso Gregorio IX scelse i legati pontificii perché orassero appo i princìpi cristiani affine di ritogliere la terra santa dalle mani dei barbari (an. 1229) e li scelsero ugualmente Nicolò IV e Clemente V, quando colla guerra sacra volevano invitare i crocesignati a respingere i progressi de' Maomettani.

Papa Alessandro V impartì sovra tutto a quel monastero grandissimi privilegi, tra i quali l'uso della mitra e dell'anello pontificale; ma di giorno in giorno fattasi insopportabile, per le cagioni più volte riportate, l'aria di quest'isola così squallido rimase il monastero che l'abate Gerolamo Trevisan (an.1495) venne nel divisamento di cederlo alla congregazione cistercense detta di Lombardia posta a s.Antonio di Torcello come quella che allora fioriva per la regolare osservanza. In seguito (an.1669) acquistò pur essa il convento della Madonna dell'Orto di Venezia, abitato innanzi dai canonici regolari di S.Giorgio in Alga e vi trasferì parecchi monaci de' Borgognoni. Ciò fece che sempre più scarso di abitanti si rendesse quest'ultimo convento, comunque abbia sussistito quale juspatronato della famiglia Trevisana sino all'ultima soppressione regolare de' nostri giorni. Della chiesa grande, ma disadorna, distrutta ormai insieme col chiostro, null'altro vedi salvo che le robuste fondamenta, ed un filare di olmi alti e fronzuti toccanti la laguna colle annose radici e piantati un dì per cingere il vigneto di quei monaci.

Some of the most reliable documents that have come down to us concern our next island, labelled "de' Borgognoni" ("of the Burgundians") the site originally of no more than a parish church, until one of the rectors thereof, a certain Rodolfo, prevailed upon the nobleman Marco Trevisan of the parish of S.Giovanni Novo in Venice to build and endow an adjacent monastery, bequeathing its patronage to his heirs in perpetuity. Its first tenants (prior to 1190) were Augustinian canons regular, who abandoned the island after only a short period of residence, for reasons unknown. It was at this juncture that a group of Cistercian monks were installed, giving rise to the monastery and island appellation "de' Borgognoni". Before 1200 the settlement lacked the official denomination of 'abbey', denied it by the general chapter of the order owing to their reluctance, before that date, to sustain the reduction in their own income entailed in the sustenance of 24 brothers. But a reputation for exemplary holiness of conduct soon spread, so that Ottaviano Querini and the doge Pietro Ziani as well as a host of other private persons began to make donations to this cenobium, including properties as far afield as Crete and Constantinople and other parts of the Venetian dominions, relics also, and precious objects. Its fame in fact grew to the extent that Gregory IX turned to the community when recruiting papal legates to spur the princes of Christendom to a further attempt to retake the Holy Land from the heathen (in 1229), and later both Nicholas IV and Clement V again had recourse to the community when in their turn seeking to inspire the Christian knights to take up the sign of the cross to drive back the constantly encroaching Mohammedans.

Another pope, Alexander V, conferred exceptional privileges on the monastery, among them the right to use the papal mitre and ring. However, with the passage of time, the atmosphere of the island, for the reasons already outlined, became increasingly intolerable, and the monastery declined into such a parlous state that in 1495 the abbot Girolamo Trevisan was reduced to the expedient of ceding it to the so-called 'Lombardian' Cistercian congregation of S.Antonio on Torcello, as being the most notable for pious observance. Subsequently the latter house in its turn acquired (in 1669) the monastery of the Madonna dell'Orto, previously occupied by the canons regular of S.Giorgio in Alga, and installed there a considerable number of the 'Burgundian' brothers. Thus the original island community continued to be depleted, although an exiguous rump struggled on under the continuing patronage of the Trevisan family until the suppressions of modern times. Nothing now remains of the despoliated great church or its ruined cloister but the solid foundations and a line of tall and leafy elms, planted in days of yore to shelter the monastic vineyard, whose ancient roots still cling to the lagoon shore.

RICCIOTTI BRATTI, *"Vecchie isole veneziane"*, VENEZIA 1913, 40-42.

Più tranquilla invece, lontana dalla gioie che arridevano alla città, come dalle sciagure che tristamente la colpivano, la vecchia Abazia dei Borgognoni sorgeva a greco di Venezia, presso Torcello. Nella piccola isola, verso la fine del secolo XII, venivano eretti un monastero ed una chiesa dedicata a san Tomaso, che erano affidati alla Religione dei Cistercensi, sorta nel secolo precedente, in Chalons di Borgogna. Il paese d'origine dei monaci diede quindi all'isoletta di san Tomaso il nome volgare di isola dei Borgognoni. Il convento era ricco di beni e di rendite: fra le molte donazioni merita di essere ricordata quella del doge Pietro Ziani che nel 1212 concedeva a quei frati "unam petiam de terra nostri Communis Venetiarum in Costantinopoli positam".

Fino circa alla metà del secolo XIV le cose procedettero bene presso i Cistercensi, dei quali il Capitolo Conventuale eleggeva ad ogni vacanza il proprio Abate; ma quando, in seguito alla diminuzione dei monaci di san Tomaso, l'elezione cominciò a presentare qualche difficoltà, la Curia Romana, tramutata l'Abazia in Commenda, tentò di eleggere direttamente il Commendatario. Ai desideri di Roma si oppose il Senato Veneto poiché, fondato il monastero ed eretta la chiesa da Marco Trevisan, la nomina del preposto all'Abazia di san Tomaso spettava, quali juspatroni, ai discendenti del fondatore, ai patrizi Trevisan denominati "dallo Scaglione" per lo Scaglione d'azzurro che avevano sul campo d'oro dell'arme gentilizia.

Ebbe, nella controversia, ragione il Senato: ma col volger del tempo i monaci dei Borgognoni, in parte perché l'impaludamento della circostante laguna minacciava la salubrità dell'aria, e in parte perché i vantaggi di abitare in città esercitavano anche su loro una grande attrazione, desiderosi di trapiantare altrove la sede abaziale, acquistarono nel 1669 il monastero della Madonna dell'Orto e abbandonarono il vecchio convento di san Tomaso.

Oggi l'isoletta dei Borgognoni è una povera, deserta palude, che mal farebbe credere come in passato fosse stata sede di un rinomato cenobio.

In peaceful isolation from the joys that shone on the city and the misfortunes that frowned on her, rose the walls of the old abbey of the Burgundians to the north-east of Venice hard by Torcello. On the tiny island towards the end of the 12th century were erected a church and a monastery dedicated to St.Thomas, which were entrusted to the Cistercians, an order founded in the previous century at Chalons in Burgundy. The monks' country of origin thus gave to the little island of St.Thomas its local appellation "dei Borgognini". The monastery soon became rich in possessions and revenues: among many donations that of the doge Pietro Ziani is especially worthy of record – in 1212 he made over to the holy friars "unam petiam de terra nostri Communis Venetarium in Constantinopoli positam".

Until about the middle of the 14th century things went well enough with the Cistercians, their own conventual chapter electing a new abbot whenever the vacancy occurred. However with the numerical decline of the monks of St.Thomas this election began to present difficulties and the Roman Curia, requalifying the abbey as a 'commendam' pretended the direct appointment of the commendator. The Venetian Senate looked unfavourably on the ambitions of Rome, maintaining that as the church and monastery had been established by Marco Trevisan, the nomination of a provost to the Abbey of St.Thomas was the entitlement of the direct descendants of the founder, which is to say, that branch of the Trevisan family known as the 'chevron branch' because their arms boast an azure chevron on a gold field. In the event it was the Senate who had the better of this controversy, but in any case, with the passage of time the Burgundian monks, in part because the silting up of the surrounding lagoon threatened the salubrity of the atmosphere, in part because they were no more impervious than others to the advantages of living in the city, determined to relocate their community elsewhere and in 1669 to this end purchased the monastery of the Madonna dell'Orto, abandoning their old quarters on St.Thomas.

Today the little island of the Burgundians is a miserable and deserted stretch of marshland which it is hard to believe was once the site of a glorious foundation.

ALVISE ZORZI, *"Venezia scomparsa"*, VENEZIA, 1971, 432-433.

Dov'era l'abbazia di S.Tommaso dei Borgognoni, a Torcello, pressappoco dov'è ora l'approdo del vaporetto, non c'è che ortaglia e canneto. Eppure, a giudicare dall'incisione dell'"Isolario" del Tironi che ce ne ha serbato l'immagine, la grande chiesa quattrocentesca a croce greca doveva essere un monumento ben degno di essere conservato, se non altro come esempio interessante della architettura veneziana del suo tempo. Anche se nel Settecento poteva sembrare "squallida e oscura" è possibile che oltre alle lunghe e sottili fine-

Where once stood the abbey of S.Tommaso dei Borgognoni at Torcello, more or less on the site of the present vaporetto stop, there is nothing now but allotments and cane-brakes. And yet, to judge from Tironi's engraving in his Isolario, *which has preserved its likeness for us, the imposing fifteenth-century church on the Greek Cross plan must have been a monument well worth conserving, if only as a notable example of the Venetian architecture of its time. For all that it appeared to eighteenth-century*

stre ogivali e ai contrafforti della facciata, agli archetti e alle lesene delle cornici, non rimanessero altre vestigia del passato splendore, benché l'abate e la maggior parte dei monaci si fossero trasferiti nel 1668 in città, nel convento della Madonna dell'Orto, a causa dell'insalubrità dell'aria e non rimanessero che pochi religiosi ad assicurare l'ufficiatura nella stagione invernale, meno insalubre.

L'origine della badia risaliva al XII secolo (ma già prima di allora esisteva colà una chiesa dedicata allo stesso santo) e alle premure del patrizio Marco Trevisan, detto il "Grande" e, i cui eredi rivendicarono fino a tempi relativamente recenti il juspatronato sull'elezione dell'abate, conferendolo frequentemente a titolo di commenda a componenti del ramo di famiglia che portava uno scaglione nello stemma. Poco prima dell'anno 1200 vi si erano installati, la cui casa madre, Citeaux, si trovava in Borgogna: da ciò il nome correntemente attribuito all'abbazia, la quale ricevette via via cospicue donazioni a Costantinopoli e a Creta dai dogi Sebastiano e Pietro Ziani e Giacomo Tiepolo, mentre vari abati illustri ne accrescevano il prestigio.

Nel 1489 l'abate di Citeaux, visitando S.Tommaso dei Borgognoni, ne trovò gli edifici "vicini a rovina". Ma già nel 1495 l'abate Gerolamo II Trevisan aveva provveduto a "qualche più conveniente e stabile struttura", e, nominato nel 1507 vescovo di Cremona, chiedeva di poter tenere ancora per cinque anni in commenda l'abbazia per condurre a termine gli edifici della chiesa e del monastero. Nel 1518 i monaci della Congregazione Cistercense di Lombardia, ne riprendevano possesso. Entro questa data va dunque situata la rifabbrica della chiesa, che serbava però caratteristiche prevalentemente gotiche.

Trasferitisi i monaci a Venezia, la chiesa, benché già in parte spogliata dei suoi arredi, si reggeva ancora bene quando fu soppressa, nel 1806. La demolizione seguì di lì a poco, e fu totale: nel 1837 se ne vedevano ancora le poderose fondamenta, presso ad un filare di antichi olmi, già confine della vigna del monastero. Un grande Crocefisso miracoloso che vi si venerava sarebbe stato trasportato nel 1816, durante la demolizione, nella chiesa di S.Fosca.

eyes "squalid and dark", it seems impossible that some vestige of its erstwhile splendour had not endured, beyond the tall, slender ogival windows, the buttresses of the façade, the blind pilasters and the little arches of the cornice, even if it is true that the abbot and the majority of the monks had decamped in 1668 to the monastery of Madonna dell'Orto, on account of the noxious atmosphere, leaving a rump of brothers to officiate at the mass, at least during the more salubrious winter season.

The abbey's origins go back to the twelfth century (but even before this date an earlier church existed on he site, dedicated to the same saint) and to the instigation of the patrician Marco Trevisan, known as 'the Great', whose heirs until comparatively recent times continued to claim patronage over the appointment of the abbot, as often as not conferring the office 'in commendam' to some member of that branch of the family distinguished by a chevron on its coat-of-arms. Shortly before the year 1200 a community was installed there from the Cistercian mother-house at Citeaux in Burgundy, hence the appellation 'of the Burgundians', and was in time enriched by donations of property as far afield as Crete and Constantinople from the doges Pietro Ziani and Giacomo Tiepolo, while a series of distinguished abbots contributed in their turn to its prestige.

In 1489 the abbot of Citeaux, visiting S.Tommaso dei Borgognoni, found the buildings "all but in ruins". But already by 1495 the abbot Gerolamo II Trevisan had in hand "a more appropriate and stable structure", and on his appointment to the bishopric of Cremona in 1507 asked to be to be allowed to hold the abbey in commenda for a further five years in order to see the programme of reconstruction of church and abbey through to completion. Duly in 1518 the monks of the Cistercian Congregation of Lombardy resumed possession. The remodelling of the church can therefore be dated prior to the latter year, although stylistically it remained of predominantly gothic inspiration.

After the removal of the monks to Venice the church, though partially stripped of its decoration, was still in a relatively sound state structurally at the time of its suppression in 1806. But ruin was not long in coming, and was to be total: by 1837 only the massive foundations remained, alongside a row of ancient elms that had once marked the limit of the monastery vineyard. A great crucifix, venerated as miracle-working, was saved in the course of this demolition and transported in 1816 to the church of S.Fosca.

S. TOMMASO BORGOGNONI

La chiesa e il campanile di S.Tommaso dei Borgognoni erano posti all'incirca dove oggi si trova l'approdo per la visita a Torcello. Nel 1806 fu demolito l'intero complesso e nel 1837 non rimanevano che le poderose fondamenta vicino ad un filare di antichi olmi già confine della vigna del monastero.

The church and belltower of S.Tommaso dei Borgognoni were sited more or less where the Torcello vaporetto stop is today. In 1806 the entire complex was demolished and already by 1837 only the massive foundations remained, flanked by a line of ancient elms that once marked the boundary of the monastery vineyard.

Dell'antica chiesa di S. Tommaso del Borgognoni rimane questo crocifisso ora custodito nella chiesa di S. Fosca a Venezia.

This crucifix which was in the original church of S. Tommaso del Borgognoni is now in the church of S. Fosca in Venice.

ISOLE S. ARIAN - LA CURA - SALINE - BUEL DEL LOVO

STORIA DELLE ISOLE ATTRAVERSO LA DESCRIZIONE DI ALCUNI AUTORI
THE HISTORY OF ISLANDS ACCORDING TO THE DESCRIPTIONS OF VARIOUS AUTHORS

ERMOLAO PAOLETTI, *"Il Fiore di Venezia"*, VENEZIA, 1837, vol. I, 103-105.

Movendo poscia di qui verso il margine del continente troverebbesi di leggeri il sito ove fu l'isola di Costanziaca: ragguardevole comunità essa pure, popolata egualmente dagli Altinati e così nominata da una delle sei porte della distrutta Altino. Alcuni vorrebbero invece che tal nome le dessero i Veneziani in onore dell'imperatore Costante, il quale regnava dopo il 641 in Oriente; ma i più avvisano che piuttosto ad onorare Costanzo e Costante figli di Costantino magno, avessero gli Altinati intitolata una porta della città loro perchè forse o abbellita o riattata da quegli augusti, e quindi da quella porta appunto sia derivato l'appellativo di Costanziaca a quest'isola. L'analogia per vero dire con quanto s'è fatto nelle principali isole di questa parte settentrionale di laguna, verrebbe ad avvalorare la seconda in confronto della prima opinione, alla quale, come più probabile, non sapremmo pur noi dilungarci.

Comunque sia, molte chiese avea Costanziaca, molta popolazione, e sebbene dipendesse da Ammiana così da esserne considerate un semplice vico, era pure rinomata, note assai erano le sue chiese tra le quali quella dedicata a ss. Sergio e Bacco, quella a ss. Marcellino e Massimo, quella a s. Mauro ed il monastero in fine di monache benedettine sotto il titolo di ss. Giovanni e Paolo. La prima fu fondata dalle famiglie Fraudana e Calciamiri; la seconda dai soli Fraudani, ed il monastero delle benedettine, ridotto in seguito a totale miseria, fu concentrato in quello di s. Antonio di Torcello. Tutte però queste chiese dipendevano da s. Lorenzo di Ammiana, il parroco della quale avea il diritto di un annuo desinare a guisa di censo. Ma sciolto da ogni tributo, e superiore per celebrità alle altre chiese di Costanziaca era il monastero di s. Adriano dove racchiudevansi le vergini più illustri della nazione. Quivi ricoverossi Anna Micheli moglie del beato Nicolò Giustiniani monaco di s. Nicolò del Lido dopo aver procreati molti figli e ravvivata la famiglia Giustiniana pressochè estinta. Riccamente largiva essa questo chiostro, e secondo alcuni, lo erigeva più maestoso, siccome pia e santa ricevea in quella chiesa la sepoltura.

Collo scorrere degli anni si fe' grave siffattamente l'aria di Costanziaca, e così si corruppe la palude presso al monastero di s. Adriano, che era divenuta orrida stanza di serpenti. Obbligate pertanto quelle monache a ritirarsi da prima in alcune private case dell'isola di Murano, Eugenio IV, concesse loro (an. 1439) il monastero di s. Angelo di Zampenigo nell'isola di Torcello. Nulladimeno minorate colà le rendite, scemato fuor misura il numero delle monache, i monasteri di s. Adriano e di Zampenigo vennero uniti al veneto monastero delle monache di s. Girolamo.

Moving on in the direction of the mainland shore, we can readily make out the site of the former island of Costanzia, this too a substantial community in its time, again a colony of Altinati, and taking its name from one of the six gates of their razed city of Altino. There are some that maintain, contrarily, that the name was bestowed on the island by the Venetians in honour of the emperor Constans, who reigned, from 641, over the Eastern Empire, but the majority of authorities concur that it was rather the Altinati themselves that had honoured one Constantius, and an earlier Constans, both sons of Constantine the Great, by naming a gate of the city after them, perhaps because it had been restored or embellished at the behest of these Augustans, and only subsequently was the island name Constanzia derived from that gate, as above stated. In truth, analogous procedures relating to islands in this northern part of the Lagoon would tend to favour the latter interpretation, but we will leave the matter there.

Be that as it may, Costanzia had many churches and a large population, and although administratively no more than an outlying ward of Ammiana, enjoyed a degree of celebrity in its own right, not least on account of such churches as San Sergio & Bacco, San Marcellino & Massimo, San Mauro, and a convent of Benedictine sisters under the protection of San Giovanni & Paolo. The first of these was founded by the Fraudana and Calciamiri families, the second by the Fraudana alone, while the Benedictine nunnery, reduced in the course of time to the most abject poverty, was eventually absorbed into the sister house of S. Antonio on Torcello. All these churches came under the authority of S. Lorenzo on Ammiana, whose parish priest enjoyed the right of a yearly feast at their expense, by way of an annual levy. Exempt from any form of tribute, on the other hand, and of considerably greater renown than any of the other churches, was the convent of S. Adriano, where many of the Republic's most illustrious virgins found refuge. Hither for example retired Anna Michieli, wife of the Blessed Nicolò Giustiniani, be in his turn becoming a brother at S. Nicolò del Lido, although not before they had jointly engendered a litter of children and revived the all but extinct Giustiniani family. She herself richly endowed her own cloister, and, in the opinion of many, exalted it further in her own pious and saintly person, when she was in due course laid to rest in its chapel.

With the passage of years the air of Costanzia became so foul, and the marsh about the convent so polluted that it had become

Ognuno da tale crollamento delle sue chiese può immaginare facilmente a qual condizione si riducesse la intera isola di Costanziaca. Le procelle, le intumescenze marine, l'impaludamento della circostante laguna, la belletta deposta nelle ore del riflusso da un ramo del Sile ond'era costeggiata, resero affatto morbosa quell'aria. Nido divenne di ladri che infestavano i luoghi vicini e che richiamavano spesso la viva forza a sgomberarli. Nullostante nel 1510 era ancora sussistente parte della chiesa di s. Adriano, e fu nel 1565 che il senato venne anzi nella risoluzione di chiudere con muraglie una porzione dell'isola destinandola a ricevere le umane ossa quando le tombe ed i cimiteri di Venezia non fossero stati capaci di contenerne più oltre. L'altra parte dell'isola, coltivata ad ortaglie, porta tuttavia il nome di s. Arian, corruzione di s. Adriano, né di verzura è priva la parte che accoglie le ossa perrochè sciolte e polverizzate dalle meteore dell'aria e del sole copronsi di folta erba, rimuovono così il lurido aspetto della morte e perpetuano con generi nuovi di vita l'alterno movimento della natura.

Vicina a questa isola ve n'ha un'altra non piccola detta la Cura che forse formava con s. Adriano l'antica Costanziaca. Per verità mostrano entrambe la superficie coperta dai medesimi calcinacci e frantumi di pietre; ma le vicende recate dal mare, dai fiumi, dal tempo renderebbero certo impossibile il conoscere che cosa fossero daddovero que' dossi ne' secoli trascorsi.

A breve distanza dalla Cura incontrasi altra isola detta S. cristina tutta coltivata ad orti ed a campi. Era assai rinomata altre volte per un monastero che possedendo il corpo di quella vergine e martire, richiamava del continuo gran concorso dalle isole veneziane. Fondava quel chiostro la famiglia Fraudana o Falier circa la metà del VII. secolo, e s'intitolava da prima a s. Marco assegnandosi a monache benedettine che dipendendo da s. Lorenzo di Ammiana nel 1325 vi abitavano in numero di 25. Per lo acquisto fatto allora del corpo di quella santa martoriata a Tiro, e da di là trasportato prima a Costantinopoli, indi occultamente in quest'isola recato, cangiossi il nome al chiostro intitolato a s. Cristina.

Né guari godettero le monache della pace che la santità di tale asilo loro procacciava. Corrosa dalle acque quell'isola, presso a rovinare il monastero medesimo, nel 1340 all'insaputa di ognuno trasferironsi a Murano seco recando il corpo della santa. Ciò spiacque al senato e volle che tosto ritornassero alla sede loro colle reliquie trasportate; anzi volle che fosse solenne quel giorno. Il doge, la signoria, il corpo intero de' senatori vollero togliere da Murano quel corpo e pomposamente trasportarlo alla sua dimora. In tal guisa venne ancora abitato il monastero di s. Cristina; ma le acque continuando a danneggiare tutta l'isola nel 1452 la sola monaca rimasta (Filippa Condulmer abbadessa) ricercò di passare al monastero di s. Antonio di Torcello, a cui cesse 125 ducati unico annuo reddito dell'abbandonato convento. Assai si distinse nella chiesa di s. Cristina il pennello di Paolo Veronese; ma ora più non rimane verun vestigio. Tuttavolta, per un fenomeno osservato già in altri luoghi

a ghastly nursery of snakes. The nuns were consequently obliged to retreat, in the first instance to a group of private houses on the island of Murano, until in 1439 Pope Eugenius IV granted them the convent of S. Angelo di Zampenigo on the island of Torcello. However, with revenues reduced at their new address, and the number of postulants in sharp decline, the communities of S. Adriano and S. Angelo were eventually assimilated into the convent of S. Girolamo in Venice itself.

One can readily deduce from the fate of these religious institutions a concomitant collapse in living conditions on the island of Costanzia as a whole. Marine encroachment, storm-flooding, slime deposited at low tide by a nearby outlet of the river Sile, all contributed to an infectious atmosphere. The abandoned island became the refuge of bandits from nearby localities who from time to time had to be dislodged by main force. By 1510 only a portion of the church of S. Adriano was still standing, and eventually in 1565 the Senate passed a resolution that a section of the island should be walled off to serve as an overflow ossuary for the hard-pressed tomblands and cemeteries of Venice. The rest of the island, given over to allotments, still bears the name of S. Ariano, a corruption of S. Adriano. Nor does this boneyard nowadays lack greenery, as its disarticulated skeletons, milled to powder by the secular assaults of wind and sun, have assumed a thick mantle of grass, nature in its alternations thus attending to the tidying away of the gross evidence of death under a flourishing of new forms of life.

Close by lies another island, not oversmall, known as La Cura, which possibly, together with S. Ariano, once formed part of the old Costanzia. Indeed the surface of both is strewn with markedly similar debris and stone fragments. But it is no longer possible, after the centennial depredations of water, weather and time, to establish with any certainty quite what form these disparate knolls might have taken in earlier days.

A short row from La Cura, we meet another, fully cultivated, island, known as S. Cristina. In former times it was famous among the Lagoon communities for a convent housing the bodily remains of that virgin martyr. These cloisters had originally been dedicated by the Fraudana or Falier families around the middle of the seventh century to the honour of Saint Mark, and by 1325 the community numbered some twenty-five Benedictine sisters depending from a parent-house at S. Lorenzo di Ammiana. But around this time the acquisition of the body of the virgin-martyr of Tyre, transported in the first instance from that city to Constantinople, and thence smuggled to this island, occasioned the re-consecration of the convent to S. Cristina.

If the nuns found a greater tranquillity in this adjunct of sanctity, they were not long to enjoy it. Already in 1340, with the island greatly eroded by the tides and the convent itself falling around them, the sisters withdrew secretly to Murano, taking

della laguna, l'aria di quell'isola migliora continuamente, ned è più si insalubre quanto lo fu ne' passati tempi.

with them the remains of the saint. The Senate however was displeased by this occult transfer and would have the sisters return forthwith to their proper house, and their relics with them, insisting indeed on a solemn progress to mark the event, the Doge, Signoria and whole corpus of senators in magnificent procession subtracting the body of the saint from Murano to reconduct her to her appointed home. Thus was revived the convent of S.Cristina, but the waters persisted with their quiet work and by 1452 the only nun remaining (the abbess Filippa Coldumer) petitioned to be received into the convent of S.Antonio on Torcello, ceding to that foundation the 125 ducats annually that was all the remaining revenue of her abandoned house. In its time the church of S.Cristina had been famous for its paintings by Paolo Veronese, but of these no trace now remains. None the less, as we have already observed in other parts of the Lagoon, over time the island air has improved, and is no longer as insalubrious as in days past.

SAN ARIANO

L'ossario di S. Ariano visto dal canale della Dolce a nord di Torcello.

The S. Ariano ossuary seen from the Dolce canal north of Torcello.

S. Ariano: iscrizione sul muro di cinta dell'isola. Anticamente esisteva un monastero abbandonato dalle monache per l'insalubrità dell'aria.

An inscription on the perimeter wall of the island. In earlier times there was a monastery here, abandoned by the nuns due to the foulness of the air.

LA CURA

La Cura vista dal canale. Forse formava con S. Ariano l'antica Costanziaca; esistevano due chiese: quella di S. Sergio e Bacco e quella di S. Matteo.

La Cura seen from the canal. It may have once been joined to S.Arian, forming the ancient island of Costanziaca. There were two churches: S.Sergio and Bacco, and S.Matteo.

LA CURA

La Cura: l'unico fabbricato esistente nell'isola. A pochi passi l'acqua dolce fuoriesce da un pozzo artesiano.

The only remaining building on the island. A short distance away an artesian well provides fresh water.

218

LE SALINE

Le Saline: visione dei tre fabbricati esistenti dal ghebo che attraversa l'isola.

Le Saline: the three extant buildings seen from the channel that traverses the island.

LE SALINE

Le Saline: fino a pochi anni fa in quest'isola si coltivavano ortaggi e alberi da frutta.

Until a few years ago market gardens and fruit trees were cultivated here.

LE SALINE

Le Saline: il maggior fabbricato dell'isola. Fino al 1913 si raccoglieva il sale.

The largest building on the island. Until 1913 salt was still harvested here.

Le Saline: interno di un fabbricato.

Inside one of the buildings.

BUEL DEL LOVO

Veduta aerea del Buel del Lovo o Forte S. Marco

Aerial view of Buel del Lovo, otherwise Forte S.Marco.

BUEL DEL LOVO

Buel del Lovo: l'isola si trova poco distante da Mazzorbo, il suo nome deriva dalla tortuosità del canale d'arrivo. Nella I guerra mondiale fu adibita a fortino.

The island is a short distance from Mazzorbo. The name (which means 'Wolf's Gut' in Venetian) derives from the tortuous approach channel. In the First World War it was equipped as a fort.

BUEL DEL LOVO

Buel del Lovo: il cortile

The forecourt.

BUEL DEL LOVO

Buel del Lovo: nell'interno fino a pochi anni fa funzionava una fabbrica per l'inscatolamento del pesce.

Until the mid sixties a fish cannery was still operative here.

Buel del Lovo: da una rudimentale fontana si pompa l'acqua del pozzo artesiano.

A rudimentary pump still supplies fresh water from an artesian well.

ISOLA DI S. ANDREA

f. **II.** ISOLA DEL CASTELLO DI S. ANDREA. *Appo*

S. ANDREA

Stampa dell'Isola tratta dall'*Isolario Veneziano* di A. Visentini del 1777.

Print from Visentini's Isolario Veneziano *(1777).*

STORIA DI S. ANDREA ATTRAVERSO LA DESCRIZIONE DI ALCUNI AUTORI
THE HISTORY OF S. ANDREA ACCORDING TO THE DESCRIPTIONS OF VARIOUS AUTHORS

PIETRO MARCHESI, *"Il Forte di Sant'Andrea a Venezia"*, VENEZIA, 1978, 13.

Risale al 1313 la prima notizia riguardante la fortificazione dell'ingresso principale della Laguna veneta: costituita da una semplice torre in legno alla Certosa, con quelle caratteristiche semipermanenti di tutte le opere avanzate dell'epoca, serviva soprattutto all'avvistamento dei navigli e alle segnalazioni.

All'epoca della guerra fra Genovesi e Veneziani nel 1379, quando il Senato decise di liberare e riabilitare Vettor Pisani e di riaffidargli il comando della flotta veneta, prima sua preoccupazione fu quella di consolidare le Bocche del Lido, prima ancora di andare a cingere d'assedio Chioggia, dov'era asserragliata e dove fu annientata l'armata di Pietro Doria. Le postazioni esistenti vennero in quella occasione sicuramente integrate nella porzione situata verso S. Nicolò, punto certo più importante, poiché rivolto verso il mare aperto, donde era più probabile pericolo di forzamento. La minaccia allontanata per un momento non si ritenne scongiurata.

Nel 1400, nella seduta del Maggior Consiglio del 13 luglio, su iniziativa di Jacopo Suriano e di Pietro Goro, si decide di edificare *"super palude, pro securitate portus S. Nicolai de Lictore unum fortilicium de petra per illum modum qui melior et utilior aparebit"*. La località assunse da allora il nome di *"li do castelli"*. essendo Castel Vecchio quello di S. Nicolò di Lido e Castel Nuovo quello di S. Andrea, dal nome dell'omonimo convento eretto fin dal lontano 1199 e del quale si perderanno le tracce soltanto intorno al 1810.

The earliest mention of a fortification at the main entrance of the Venetian lagoon was in 1313. There was then only a simple wooden tower at the Certosa characteristic of the semi-permanent works at the time. It served principally as a look-out and signals tower.

During the Genovese-Venetian war of 1379, when the Senate decided to free and reinstate Vettor Pisani and to entrust him with the command of the Venetian fleet, his most urgent preoccupation was to secure the Lido straits, before laying siege to Chiogga where Pietro Doria's army was dug in and where it was in due course routed. The existing fortifications were then in support of the area towards S. Nicolò, certainly the most important, because it faced the open sea, from which direction an attempt to breach the defences was most likely. The threat receded but did not disappear altogether.

At a meeting of the Great Council on 13th July 1400, it was decided, on the initiative of Jacopo Suriano and Pietro Goro, to build "super palude, pro securitate portus S. Nicolai de Lictore unum fortilicium de petra per illum modum qui melior et utilior aparebit". *The area then took the name of "li do castelli" (the two castles), Castel Vecchio being that of S. Nicolò di Lido and Castel Nuovo that of S. Andrea, the latter bearing the name of the monastery which had been established there as far back as 1199 but of which we have no further trace after 1810.*

S. ANDREA

L'isola del Forte di S. Andrea, opera del veronese Michele Sanmicheli, non è propriamente abbandonata. È custodita dai militari. La fortezza fu commissionata dalla Signoria con decreto del 23 dicembre 1534 al celebre architetto militare, resosi famoso per le fortificazioni di Verona. Strategicamente importantissima era eretta in pieno mare perché allora mancava di fronte la Punta Sabbioni. Ordini severi vietavano l'ingresso a qualsiasi nave armata straniera. Nel bastione erano collocate otto cannoniere ed a ogni arco sulle mura sbucava a pelo d'acqua un pezzo d'artiglieria, pronto a colpire sui fianchi le navi nemiche.

The island of Forte S. Andrea, the work of Michele Sanmichele, is not properly speaking abandoned, being army property. The fortress was commissioned by the Signoria under a decree of December 23rd 1534 from the celebrated military architect, who had already made his name with the fortifications of his native Verona. It originally faced the open sea, not being until modern times shielded by Punta Sabbioni: hence its strategic importance. The entrance of any foreign armed vessel into the lagoon was strictly prohibited. Eight large cannon were positioned on the bastions and from every arch in its walls artillery was trained at water level to bear on the flanks of enemy ships.

S. ANDREA

La custodia dei militari la preserva dalle manomissioni ma non dall'opera del tempo e delle forti correnti marine. Già appaiono evidenti i primi segni di rovina. Nel giugno del 1950 l'angolo Nord-Est e buona parte dell'antemurale prospiciente verso il Lido crollano sul canale.

The military tutelage protects the fort from vandalism, but not from the assault of time and strong marine currents. Early signs of ruin are already evident. In June 1950 the northwest corner and a good part of the outer wall facing the Lido collapsed into the canal.

233

Particolare dell'interno di S. Andrea. Essendo stata messa in forse la solidità del Forte, la Serenissima volle collaudare "la fabbrica" del Sanmicheli con una scarica sperimentale di tutte le artiglierie. *"Ma fatto l'arditissimo esperimento rimase illesa la fortezza in mezzo al tremendo scoppio. Il senato congratulavasi coll'architetto veronese, e questi rallegravasi con se stesso dell'avere saputo costruire a Venezia un tanto formidabile antemurale".*

Interior view of S. Andrea.
The solidity of the fort having been questioned, the Serenissima decided to put Sanmicheli's construction to the test with a simultaneous discharge of all the artillery, "but when this hazardous experiment was tried, the fortress remained impervious to the tremendous explosion. The senate duly congratulated the Veronese architect, and he himself rejoiced to have succeeded in building for Venice such a formidable barbican".

"Quando l'imperatore Francesco (d'Austria) fu ad onorare di sua presenza il castello di sant'Andrea si rivolse agli ufficiali del genio che gli stavano da vicino, e disse: "Abbiate a cuore e conservate questo bel monumento: opere simili non si fanno più" (AA.VV.,Siti pittoreschi..,VENEZIA, 1838).

"When the Emperor Francis (of Austria) honoured the castle of S.Andrea with his royal presence, he turned to the officer-engineers accompanying him and said – Be this fine monument close to your hearts and preserve it well. Its like is not built today."

Particolare di una testa di leone posta sopra all'arco delle finestre in cui erano posti i cannoni.

Detail of the lion's head above a gun-emplacement arch.

I. S. Secondo

I. S. Giorgio
in Alga

I. S. Angelo
della Polvere

I. Buel de Lovo

I. Murano

I. S. Giacomo
in Paludo

VENEZIA

I. Lazzaretto
Nuovo

I. S. Tommaso Borgognoni

I. Poveglia   I. S. Spirito

I. La Certosa

I. Madonna
del Monte

Torcello

I. La Cura

I. S. Ariano

I. Lazzaretto
Vecchio

I. S. Andrea

I. Burano

Le Saline

Lido

I. S. Erasmo

Malamocco

ADRIAT

239

Finito di stampare nel mese di dicembre 2008
www.grafichenardin.it